Fama, dinheiro e influência

Fama, dinheiro e influência

Como a cultura de celebridade enfraquece a igreja

KATELYN BEATY

Traduzido por Susana Klassen

MUNDO CRISTÃO

Publicado originalmente por Brazos Press, divisão da Baker Publishing Group, Grand Rapids, Michigan, EUA.

Os textos bíblicos foram extraídos da *Nova Versão Transformadora* (NVT), salvo indicação específica.

CIP-Brasil. Catalogação na publicação
Sindicato Nacional dos Editores de Livros, RJ

B351f

Beaty, Katelyn
Fama, dinheiro e influência : como a cultura de celebridade enfraquece a Igreja / Katelyn Beaty ; tradução Susana Klassen. - 1. ed. - São Paulo : Mundo Cristão, 2024.
232 p.

Tradução de: Celebrities for Jesus : how personas, platforms, and profits are hurting the Church
ISBN 978-65-5988-285-4

1. Cristianismo e cultura. 2. Fama - Aspectos religiosos - Cristianismo. 3. Evangelismo. I. Klassen, Susana. II. Título.

23-87133 CDD: 261
CDU: 27-662:3

Meri Gleice Rodrigues de Souza - Bibliotecária - CRB-7/6439

Edição
Daniel Faria

Revisão
Raquel Carvalho Pudo

Produção e diagramação
Felipe Marques

Colaboração
Ana Luiza Ferreira
Raquel Xavier

Capa
Jonatas Belan

Categoria: Espiritualidade
1ª edição: fevereiro de 2024

Publicado no Brasil com todos os direitos reservados por:

Editora Mundo Cristão
Rua Antônio Carlos Tacconi, 69
São Paulo, SP, Brasil
CEP 04810-020
Telefone: (11) 2127-4147
www.mundocristao.com.br

Para aqueles que "viveram fielmente uma vida obscura e repousam em túmulos não visitados".

Sumário

PARTE 1

GRANDES COISAS PARA DEUS

1
Poder social sem proximidade

Quando aceitei Jesus em meu coração em 1998, ao ouvir uma mensagem evangelística no encontro de jovens de uma igreja local, não fazia ideia do significado desse acontecimento ou da história à qual ele me conduziu. Sabia apenas que queria ficar em pé e assumir um compromisso com Jesus, como o palestrante nos convidou a fazer. Tinha 13 anos e lembro-me claramente de me perguntar o que os garotos de nosso grupo de adolescentes pensariam quando eu me levantasse. Será que me chamariam de "tonta" (a pior coisa que eu podia imaginar na época)? Ainda assim, meu espírito jovem e aberto foi tocado e me impeliu a me pôr em pé, quaisquer que fossem as consequências. No caminho de volta para casa naquela noite, no banco de trás do carro de meus pais, senti um novo fervor em meu coração. Era como o estranho calor que John Wesley, fundador do metodismo, descreveu muito tempo atrás que havia sentido depois de ouvir um sermão sobre Romanos.

No dia seguinte, escrevi em meu diário: "Fui à apresentação de Geoff Moore e sua banda Distance no sábado, e isso me aproximou de Deus. [...] Acho que me salvou, ou me fez perceber que sou salva. Fiquei feliz de ir".

Na época, eu não sabia nada sobre John Wesley, mas foi apropriado que minha conversão cristã tivesse paralelos com a dele. Nossa família frequentou igrejas da denominação Metodista Unida durante toda a minha infância e adolescência, apesar de nos mudarmos com frequência em virtude da carreira militar de meu pai. Em 1996, começamos a participar de um tipo diferente de igreja, mais "sensível" às necessidades de seu público-alvo, na região sudoeste de Ohio. Ela seguia o modelo de megaigrejas como a Willow Creek e a Saddleback, com guitarras durante o louvor e sermões simples que, com frequência, falavam de temas de cultura pop. Nosso pastor pregava de sandálias. Suas mensagens eram diretas, relevantes e positivas. Essa abordagem estava dando certo: o número de membros crescia e a igreja estava construindo um novo santuário/ginásio com telões de vídeo nas paredes. Era uma igreja Metodista Unida, mas nada do que vivenciávamos ali mostrava que éramos parte de uma tradição que remontava a John Wesley. Eu não fazia ideia de que participava de uma instituição que contava com 12 milhões de membros e 32 mil igrejas ao redor do mundo.

Cristãos famosos foram um elemento constante em minha adolescência. Depois que comecei a andar com Cristo, conheci músicos, palestrantes, pastores e autores que dariam forma a minha fé durante seu desenvolvimento, embora meu único relacionamento com eles consistisse em comprar seus álbuns e livros e ouvir as mensagens que pregavam de palcos distantes. Isso foi no final da década de 1990 e início da década de 2000, período que pode ser chamado de ápice da cultura evangélica jovem. Aprendemos que precisávamos nos separar dos secularistas que estavam expulsando a oração das escolas públicas e enchendo nossa mente com filmes como *American Pie* e canções de Britney Spears. Em vez de questionar a cultura geral de celebridade, porém, os cristãos haviam, em grande medida, tão somente a imitado. A cultura secular tinha suas celebridades, mas nós tínhamos as nossas. O grupo DC Talk fazia vídeos provocativos, com cara e som de Nirvana. Rebecca St. James era nossa Alanis Morissette, embora toda sua inquietude parecesse dizer respeito à preservação da pureza sexual. O artista gospel Kirk Franklin ultrapassou fronteiras graças a seu sucesso "Stomp", com os versos "É impossível explicar, é impossível comprar / O amor de Jesus é totalmente de arrasar" estrondando nas mais tocadas das rádios locais logo depois de alguma música de Puff Daddy.

E o baterista do grupo Newsboys tinha uma bateria giratória. *Uma bateria giratória!*

Era evidente a estratégia de colocar celebridades cristãs no lugar das seculares. No Congresso Acquire Fire, em 2000, diante de milhares de adolescentes que lotavam um estádio em Muncie, Indiana, o fundador da organização Teen Mania, Ron Luce, disse que devíamos trocar nossos CDs de músicas seculares por alternativas cristãs. Você gosta de Blink-182? Ouça em seu lugar Five Iron Frenzy. Jogue fora Mighty Mighty Bosstones e comece a ouvir W's. Não havia problema ouvir Sixpence None the Richer, desde que entendêssemos que a música "Kiss me" falava do amor de Cristo pela igreja. A lição era: jovens cristãos podem ser descolados, e a indústria musical cristã contemporânea produziu estrelas que podemos imitar e com as quais podemos nos identificar durante nossos anos formativos.

Com o passar do tempo, também conheci autores cristãos que resistiam à onda crescente de secularismo na política e nas escolas. Aos 21 anos, Joshua Harris ganhou projeção nacional por se posicionar a favor da castidade e do sistema tradicional de corte em seu sucesso de vendas de 1997, *Eu disse adeus ao namoro*. Ravi Zacharias e Lee Strobel, conhecidos apologistas internacionais, escreveram dezenas de livros em que argumentavam que o cristianismo era intelectualmente arrazoado.

Tivemos até uma celebridade cristã que surgiu do massacre de Columbine em 1999: Cassie Bernall, que, supostamente, disse sim quando seus assassinos perguntaram se ela acreditava em Deus. Ela e outra vítima, Rachel Scott, foram celebradas pela mídia e pelas editoras cristãs como mártires modernas.

Na época eu não sabia que essas e outras figuras eram parte de uma grande constelação de personalidades que definiram o movimento evangélico no Ocidente atual muito mais do que o vasto universo da história da igreja, dos credos ou das denominações. Posteriormente, descobri que a celebridade é uma característica do movimento evangélico de nossos dias, e não um "vírus no sistema". Qualquer que seja a abordagem usada para a desajeitada história do evangelicalismo — desajeitada justamente em razão de sua natureza descentralizada —, encontraremos um movimento espiritual de cristãos que compartilham o evangelho recorrendo às ferramentas que encontram a seu dispor em um contexto cultural específico. O apóstolo Paulo usou as ferramentas da razão e da filosofia para compartilhar o evangelho no âmbito público do Areópago. Ele escreve em 1Coríntios 9.22: "Tento encontrar um ponto em comum com todos, fazendo todo o possível para salvar alguns". Na cultura midiática, impelida por impacto visual, publicidade astuta e marketing pessoal, as celebridades são apenas mais uma ferramenta que os cristãos empregam para alcançar pessoas para Cristo.

De fato, muitos cristãos usam sua fama, seu entusiasmo e seus conhecimentos de tecnologia para bons propósitos do reino, compartilhando o evangelho por meio da mídia, cujo alcance global excede em muito qualquer coisa que Paulo poderia ter sonhado. Vários cristãos famosos, tanto quanto podemos perceber (uma vez que não conhecemos a vida interior deles), usam com integridade essas extensas plataformas. Para eles, a celebridade é apenas uma ferramenta para construir a casa de Deus, e não a casa em si. Mostram-se dispostos a abrir mão de sua fama ou de seu prestígio caso deixe de cumprir os propósitos centrais do reino.

Outros cristãos, porém, se apropriaram da ferramenta da celebridade e descobriram que, na verdade, não é uma ferramenta. Tem muito mais poder sobre quem a usa do que o contrário. É, na realidade, um animal selvagem matreiro, esquivo e insidioso. E agora esse animal selvagem está despedaçando a casa de Deus de dentro para fora.

As virtudes da fama

A que estamos nos referindo quando falamos de celebridade? Para uma sociedade com fixação em prestígio, imagem e influência, seria de esperar que tivéssemos melhor compreensão da dinâmica da celebridade. A própria natureza da celebridade, porém, especialmente em uma era digital, a leva a esconder seu poder por trás da ilusão de intimidade. Precisamos olhar para trás a fim de entender como a celebridade se tornou, ao mesmo tempo, onipresente e evasiva.

A celebridade é um fenômeno distintivamente moderno alimentado pela mídia. Antes disso, sempre tivemos a fama. Em todas as eras, houve indivíduos cujo cargo, realizações ou poder político talvez tenha levado seu nome muito além de uma só época e um só lugar. A pessoa famosa é conhecida por muito mais gente do que ela conhece. A fama quase sempre inclui um diferencial de poder.

Muitas vezes, a fama é acidental, associada a ter o nome certo ou nascer na família certa. Aliás, durante boa parte da história, a fama foi mais ligada ao sobrenome e ao clã da pessoa do que a suas realizações. Hoje, muitos de nós acompanhamos, fascinados, os dramas internos da família real da Inglaterra, ou zombamos da notoriedade decorrente de simplesmente nascer na Casa de Windsor ou se casar com alguém dessa família. De qualquer modo, a família real mostra como a fama costumava funcionar no passado. O rei é famoso simplesmente porque é o rei — ou seja, em razão de quem ele é dos poderes institucionais que representa, e não em razão de sua personalidade, de seus talentos ou de sua presença no Instagram.

Em uma meritocracia como os Estados Unidos (pelo menos teoricamente), a fama vem daquilo que fazemos: aptidão, inovação ou realização. Os americanos valorizam esse tipo de fama: a pessoa de origens humildes cujo trabalho dedicado e criatividade contribuíram para melhorar nossa vida ou enriquecer nossa imaginação. O sistema de crenças de nosso país recompensa indivíduos por se elevarem acima de circunstâncias comuns e usarem seus talentos e sua criatividade para tornar nossa vida melhor. George Washington Carver e seus amendoins. Walt Disney e seu ratinho que assobiava. Steve Jobs e Steve Wozniak trabalhando em suas invenções na garagem de casa. Americanos creem, instintivamente, que a fama deve ser a recompensa por *fazer* algo. Ser "famoso por ser famoso" não é um elogio.

Por uma ótica positiva, a fama surge, em geral, do desejo de dedicar a vida a algo que transcenda nosso tempo aqui na terra. A fama é ligada a nosso desejo humano inato de criar algo que vá além de nós mesmos e que abençoe ou inspire gerações futuras. Como portadores da imagem de Deus, temos em nosso cerne o impulso de criar cultura; não podemos deixar de fazê-lo. Quando nos saímos bem nessa tarefa, de uma forma que beneficia nosso próximo ou alivia seu sofrimento, por vezes obtemos um tipo de fama. Ganhamos renome no âmbito público por sermos bons membros da sociedade. Tornamo-nos semelhantes aos *tsaddiq*, termo hebraico usado nas Escrituras para se referir aos "justos", pessoas conhecidas em uma comunidade por sua integridade pessoal, generosidade e transformação social.[1]

O tipo correto de fama nasce de uma vida bem vivida, e não de uma imagem pessoal meticulosamente cultivada. A fama, em sua melhor forma, é resultado de virtude; é o efeito, e não o objetivo, de levar uma vida virtuosa. Quando vivemos como pessoas que amam com dedicação, servem de modo sacrificial, buscam a verdade e a justiça, colocam os outros acima de seus próprios interesses e tornam seu tempo neste mundo o mais produtivo o possível, por vezes outros reparam. E, no entanto, pessoas virtuosas, os *tsaddiq*, não se apegam a nenhuma aclamação que porventura recebam. Compartilham poder em vez de acumulá-lo. Para pessoas virtuosas, fama — e qualquer prestígio ou riqueza que a acompanhe — não é o principal. Conseguem abrir mão dela quando as distrai de seu objetivo central de criar ou liderar com excelência.

A fama se manifesta em seu melhor aspecto quando é dada àqueles que não a procuram.

Rosa Parks não estava buscando fama quando, na cidade de Montgomery, Alabama, em 1955, ela se recusou a ceder seu lugar no ônibus para um passageiro branco. Estava cansada depois de um dia de trabalho pesado como costureira em uma loja de departamentos. Estava cansada de ser tratada como cidadã de segunda categoria e como ser humano de segunda categoria debaixo das leis de segregação racial. Estava cansada de ver seu corpo negro feminino ser mais um foco de séculos de opressão e objetificação por seus compatriotas americanos. Por esses motivos todos, estava exausta.

A recusa de Parks em se levantar para um passageiro branco naquele dia de dezembro revigorou o movimento de direitos civis e inspirou o jovem pastor Martin Luther King Jr. e outros líderes a organizar o boicote aos ônibus de Montgomery, considerado o primeiro grande protesto por direitos civis. Parks e outros enfrentaram cadeia e multas; suas ações poderiam ter lhe custado a vida. Parks correu grande risco ao se posicionar e permanecer sentada. Seu ato não teve por objetivo conquistar a oportunidade de dar palestras ou assinar contratos para escrever livros. Ela defendeu a dignidade e os direitos legais, seus e de outros, e sua virtude resultou em atenção pública e renome. Cinco décadas depois, quando alguém perguntou a Parks sobre seu legado, ela respondeu: "Gostaria de ser lembrada como uma pessoa que desejava ser livre e que desejava que outros também fossem livres".[2]

As melhores pessoas famosas são aquelas que menos parecem pensar em fama. É provável que nos venham à mente artistas, professores, líderes governamentais, clérigos ou empresários de nossas comunidades locais que alcançaram renome em virtude da forma como lideram e servem a outros. Claro que, mesmo em escala nacional, muitos líderes cristãos contemporâneos são bastante conhecidos, supostamente, não porque buscaram fama, mas porque uma combinação de momento apropriado, talento e recursos da mídia fizeram suas histórias chegarem até nossa casa e nosso coração.

A fama em si, portanto, não é pecaminosa. Não devemos supor que os famosos, entre eles famosos cristãos, são inerentemente superficiais e sedentos por poder ou que escondem segredos terríveis por trás de portas fechadas.

As Escrituras trazem narrativas em que Deus concedeu renome a determinadas figuras para que cumprissem os propósitos divinos ao longo da história. Ester é um exemplo impressionante de uma figura bíblica que usou fama e poder social para fins piedosos. A princípio, ela vivia em obscuridade. Hadassa / Ester era uma órfã israelita que havia sido adotada por seu primo, Mardoqueu. Na adolescência, foi escolhida por Assuero, rei da Pérsia, para ser sua esposa. Sua condição social não lhe permitia resistir ao governante do maior império daquela época. Depois que se casou com o rei, Ester poderia ter se acomodado em sua nova vida cheia de glamour, desfrutando os luxos e privilégios de morar em um palácio e ser a jovem mais bela de toda a terra. Em vez disso, usou sua nova proximidade com o poder para interceder pelos impotentes e proteger a vida de seu povo, os judeus. Graças à intercessão de Ester, "os judeus se encheram de felicidade e alegria e foram honrados em toda parte" (Et 8.16). Ester recebeu fama e a usou para o bem, tornando-se mais renomada por salvar os judeus do que por ser a esposa escolhida pelo rei por causa de sua aparência.

Também podemos nos lembrar do papel instrutivo dos santos. Nas tradições de muitas igrejas, os santos são reverenciados mesmo depois de sua morte graças a sua vida singular de santidade, serviço e, por vezes, martírio. As tradições protestantes e evangélicas têm suas próprias formas de se lembrar de mulheres e homens piedosos e notáveis. (Se você duvida disso, visite o Museu Billy Graham em Wheaton, Illinois). Como boa protestante, creio que devo dizer que todos nós somos santos, ou seja, graças a Cristo, todos nós merecemos receber igual honra. Na verdade, porém, alguns de nós correram "com perseverança a corrida que foi posta diante de nós" com velocidade e graça extraordinárias; outros — muitos de nós — parecem manquejar até a linha de chegada. É correto e bom honrar os cristãos que completaram com excelência a corrida da fé, pois eles inspiram e instruem aqueles que ainda estão na corrida.

O segredo é este: a maioria de nós realizará sua corrida de forma comum, sem glamour, longe dos holofotes e das telas. Quase todos nós seremos conhecidos e amados (se tivermos sorte) por um pequeno círculo de amigos e familiares, as pessoas cuja ligação conosco é mais profunda e mais duradoura porque é formada de maneiras diárias, encarnadas e humildes. Para cada santo famoso, há milhões de santos comuns. Gente comum é o principal meio usado por Deus para atuar no mundo e através dele ao longo dos séculos.

Cada vez mais, entretanto, parece que muitos de nós não nos contentamos em ser cristãos comuns.

Renomados por ter renome

A celebridade é a prima mais vistosa e ligeiramente irritante da fama. Aparece nos encontros de família em um carro de luxo, esperando que outros lhe estendam o tapete vermelho. E, com certeza, fará uma live no Instagram para mostrar todos os detalhes.

A palavra "celebridade" vem do latim, *celebritas*, "multidão, fama". Remonta ao francês arcaico, em que significava "rito" ou "cerimônia", contendo portanto uma conotação sagrada e até religiosa.[3] Uma celebridade é simplesmente uma pessoa amplamente celebrada. No entanto, a celebridade é diferente da fama — e, podemos dizer, mais perniciosa — em pelo menos dois aspectos.

Primeiro, a celebridade se alimenta da mídia. A celebridade é um fenômeno singularmente moderno, que surgiu durante os séculos 19 e 20, primeiro nos jornais e, depois, em revistas, rádio, filmes, televisão, internet e redes sociais. Juntos, esses meios de comunicação nos põem em contato com um "número muito maior de nomes, rostos e vozes do que em qualquer período anterior ou qualquer outro país".[4] Sentimo-nos ligados aos nomes, rostos e vozes em nossas telas, embora essa ligação seja, em última análise, com uma projeção do eu, e não com o eu verdadeiro. A mídia nos dá a ilusão de intimidade com as pessoas famosas que seguimos e admiramos.

As principais funções da mídia são nos entreter e nos fazer comprar coisas. Portanto, celebridades modernas — o que inclui as da igreja — alimentam ciclos de entretenimento e consumo material. As ferramentas da mídia, como, por exemplo, os telões de vídeo na igreja de minha adolescência, não são neutras. Assim que uma imagem do pastor é projetada nas telas de vários locais, sua igreja está, de forma intencional ou não, tomando emprestados elementos dos âmbitos do entretenimento e do consumo. O pastor ali na tela não é mais apenas um expositor da Palavra; esperamos que ele nos entretenha ou que nos venda algo. (Especialmente se o pastor escreveu um livro; falaremos mais sobre isso no capítulo 5.)

Celebridades modernas são, com frequência, ícones de sucesso e riqueza, e muitas ficam mais do que satisfeitas de emprestar o nome e o rosto para divulgar suas marcas prediletas. Michael Jordan talvez seja o maior jogador de basquete de todos os tempos, mas também é um dos maiores porta-vozes de uma empresa e calcula-se que tenha recebido 1,3 bilhões de dólares desde que assinou contrato com a Nike em 1984.[5] O acordo de Jordan com a Nike não foi para vender apenas tênis; também foi para vender uma visão de grandeza. Se você calçar tênis da linha Air Jordan, talvez consiga jogar basquete como Michael Jordan. O mesmo acontece com empresas de cosméticos, que assinam contratos com atrizes para vender às mulheres o mito da beleza eterna. Se Julianne Moore parece tão linda nos anúncios da L'Oréal, talvez você também pareça linda se comprar esse novo creme antienvelhecimento.

Uma faceta característica da celebridade é o quanto ela é manufaturada, algo que não começou com Kim Kardashian. O historiador Daniel Boorstin escreve em sua obra pioneira de 1962:

> A celebridade é uma pessoa renomada por seu renome. Suas qualidades — ou melhor, a ausência delas — ilustram nossos problemas específicos. [...] Ela é produzida com o propósito de satisfazer nossas expectativas exageradas de grandeza humana. [...] É criada por todos nós que nos dispomos a ler a seu respeito, que gostamos de vê-la na televisão, que compramos gravações de sua voz e que falamos dela a nossos amigos.[6]

Uma celebridade é renomada por seu renome, e nós alimentamos o problema. Boorstin destaca o estratagema da celebridade moderna: é comprada e vendida por meio dos canais da mídia como um bem a ser consumido. Nem sempre sabemos *por que* devemos conhecer uma celebridade, mas apenas que devemos conhecê-la. É algo semelhante à fama, porém não exige nenhuma ação de importância, talento ou virtude especial. Desse modo, a celebridade é, com frequência, um atalho para a grandeza.

É um atalho cada vez mais fácil de tomar. Ao longo da última década, as redes sociais democratizaram o acesso à celebridade ao darem a seus usuários as ferramentas necessárias para projetar sua imagem a incontáveis seguidores, muitas vezes com resultados lucrativos. Quando abro o Instagram, sou bombardeada pelo conteúdo de "influenciadores", alguns com milhões de seguidores. Um influenciador das redes sociais oferece a seus seguidores "conteúdo" com o qual eles podem "se identificar", mas que, quase certamente, implica o pagamento de uma comissão e foi criado por fotógrafos profissionais. Esses influenciadores aparecem bem vestidos, sob iluminação perfeita, despertando inveja ou ambição. Ainda assim, garantem que a vida deles é tão normal e tão caótica quanto a nossa. Oferecem fotos que supostamente revelam seu cotidiano, embora o conteúdo real de sua vida diária seja vivido longe das câmeras e não possa ser verdadeiramente conhecido por ninguém que os segue. No entanto, parecemos não ter problema com isso; contentamo-nos em consumir intimidade falsa.

Para as gerações mais jovens é especialmente atraente a ideia de se tornar "famoso na internet". Afinal, Justin Bieber foi descoberto no YouTube, e influenciadores com mais de um milhão de seguidores podem ganhar até cem mil dólares a cada postagem de conteúdo patrocinado.[7] Em 2014, Yalda Uhls, pesquisadora do Centro de Mídias Digitais para Crianças da Universidade da Califórnia em Los Angeles, fez uma pesquisa com pré-adolescentes (8 a 12 anos) sobre seus valores, comparados com os de gerações anteriores. Ela lhes deu uma lista de sete valores: sentimento de comunidade, imagem, benevolência, fama, autoaceitação, sucesso financeiro e realização. Simplesmente 40% dos pré-adolescentes colocaram fama como o primeiro valor.[8] Uhls descobriu que "a maior mudança ocorreu entre 1997 e 2007, quando YouTube, Facebook e Twitter cresceram exponencialmente em popularidade. [...] Esse crescimento é paralelo ao aumento de narcisismo e à redução de empatia entre universitários nos Estados Unidos. [...] A nosso ver, não é coincidência".[9]

Reality shows e redes sociais removeram muitas das barreiras tradicionais para alcançar fama. Quem deseja se tornar celebridade imagina que a fama permitirá que se sinta desejado e visto, tenha um estilo de vida de elite, cheio de luxo, e exerça impacto positivo sobre a vida de seus fãs.[10] Dessa perspectiva, considera-se que a celebridade supre os desejos humanos fundamentais de amor, segurança e propósito.

Segundo, a celebridade transforma ícones em ídolos. Celebridades modernas representam mitos seculares perenes; gostamos delas porque queremos ser semelhantes a elas. Celebridades dão vida àquilo que celebramos. Embora a maioria de nós tenha uma vida comum, as celebridades estão constantemente viajando para algum lugar em seus jatinhos, durante turnês de lançamento disto ou daquilo, cercadas de gente rica e bonita que ajuda a promover sua marca pessoal. Enquanto nosso corpo envelhece e se deteriora, o corpo das celebridades parece manter força e beleza. Enquanto a maioria de nós tem dificuldades financeiras, elas parecem desfrutar todos os bens que o dinheiro pode comprar. Enquanto a maioria de nós influencia apenas as pessoas de nosso círculo imediato de convívio, celebridades podem dar forma a atitudes, crenças e hábitos de consumo muito além de seus círculos. Beleza, riqueza, influência e imortalidade: esses são desejos humanos perenes projetados nas celebridades e vendidos de volta para nós como imagens supremas de uma vida boa.

A mídia chama nossa atenção para pessoas específicas e nos diz quem devemos seguir ou conhecer. Para minha vergonha, sei mais trivialidades a respeito de meus atores, músicos e comediantes prediletos do que sobre meus vizinhos de carne e osso. A mídia nos dá a ilusão de intimidade e, ao mesmo tempo, desvia nossa atenção da verdadeira intimidade disponível dentro de uma comunidade física, seja ela um condomínio residencial, um clube de leitura ou uma igreja.

É bom e correto enxergar pessoas virtuosas como ícones. Um ícone é uma representação de uma imagem. Todos nós somos ícones. Uma pessoa virtuosa e santa é alguém que representa especialmente bem a imagem de Deus. Lembra-nos da bondade original dos seres humanos e oferece-nos um vislumbre do destino humano antes de o pecado corromper todas as coisas. Ícones tornam visível o brilho da imagem original e nos levam a desejar refletir a imagem de Deus de modo mais resplandecente. São um canal.

Um ídolo, em contrapartida, projeta a imagem de algo que não é Deus. Em vez de ser um canal que volta nosso olhar para o Senhor do universo, o ídolo toma o lugar de Deus como objeto de devoção ou representa valores e mitos que competem com Deus como fonte original de alegria e significado para os seres humanos: valores como sexo, dinheiro, poder mundano e ambição. É verdade que a maioria de nós não tem santuários literais para nossos atores, líderes ou influenciadores prediletos. Mas, no recôndito de nosso coração, de nossa atenção e de nossa carteira, a fascinação por celebridades muitas vezes cativa nossa imaginação em medida maior do que a atenção que dedicamos a Deus e a outros portadores de sua imagem.

Moro em Nova York e, portanto, de vez em quando vejo pessoas famosas na rua ou no metrô. Aqueles que moram na cidade há bem mais tempo que eu dizem que a empolgação passa. Ainda assim, quando vejo uma celebridade, tenho uma estranha reação emocional. Fico empolgada quando vejo "em carne e osso" alguém que pertence às telas. (*Ela está bem aqui! Ela pega o metrô, como nós!*) Minha vontade é ir conversar com a pessoa (fui informada de que não devo fazer isso) ou simplesmente me aproximar dela. Dependendo de quem é, quero agradecer-lhe por seu trabalho ou dizer o quanto ela é importante para mim. Há um magnetismo, como se estar perto de alguém famoso me permitisse absorver parte de seu brilho.

Usamos a expressão "culto às celebridades" por um bom motivo: nossa obsessão com as celebridades ou nosso desejo de nos tornarmos célebres revela uma fome espiritual característica do atual período da modernidade. Graças ao declínio da religião no Ocidente, as igrejas estão cada vez mais vazias. No entanto, o anseio por transcendência está mais forte que nunca. Aquilo que os seres humanos do passado encontravam no culto tradicional, em organizações fraternas, na família e na comunidade local hoje procuramos, em parte, no consumo das imagens de pessoas que não conhecemos e que jamais teremos como conhecer.

Alguns teóricos associam o culto às celebridades ao declínio da religião institucional no último século. "Uma celebridade [...] é uma 'personalidade' capaz de despertar processos psicológicos elementares como identificação, amor e adoração", escrevem Deena e Michael Weinstein. "Celebridade é metadona para a alma, produzida pelo capitalismo consumista como paliativo para necessidades psicológicas não supridas, ressentimentos sociais e descontentamento espiritual."[11]

Não é preciso dizer que os cristãos também participam, por vezes, do culto às celebridades. Obviamente, sabemos muito bem que não devemos chamar o que fazemos de "culto". Talvez imaginemos que seja uma forma de "honrar nossos heróis da fé" ou "seguir os passos de grandes homens e mulheres de Deus". Percebemos que certos líderes cristãos são especialmente talentosos ou chamados para magníficos propósitos do reino. E, sem dúvida, alguns cristãos têm esse chamado. A questão se torna problemática quando nossa admiração se transforma em lealdade absoluta, quando desenvolvemos expectativas sobre-humanas em relação a outro portador da imagem de Deus, expectativas que nenhum portador dessa imagem foi criado para atender, certamente não sozinho e, sem dúvida, não sem limites cuidadosamente definidos para seu poder e seu prestígio.

Nossa obsessão com celebridades tem uma séria consequência: ela distorce nossa percepção de outros portadores da imagem divina. Como é típico dos ídolos, essa obsessão cobra um preço humano: solidão e isolamento; tensão na vida familiar e nos relacionamentos mais próximos; pressão para manter as aparências quando a vida pessoal está desmoronando, o que cria uma divisão dentro do próprio eu; perda de privacidade e de solitude; e a tentação de escapar das pressões pelo uso de drogas e por meio de outros vícios.

Para os propósitos deste livro, gostaria de definir "celebridade" como *poder social sem proximidade*. Colocamos celebridades em pedestais e, lá do alto, elas nos influenciam, inspiram, entretêm e exortam. Em um nível, o diferencial de poder entre nós e elas é evidente. Elas são reconhecidas no meio da multidão; a maioria de nós passa despercebida. São tratadas como VIPs; nós vivemos nossos dias como gente comum. Seu trabalho — livros, sermões, letras de canções ou diálogos de filmes — está gravado na mente e no coração de milhões; a maioria de nós fica feliz quando ao menos uma pessoa verdadeiramente nos ouve e nos vê. Elas recebem (via de regra, valores exorbitantes) para falar de suas ideias, usar seu talento e influenciar outros; não é o caso para a maioria de nós.

Em outro nível, porém, o diferencial de poder é bastante velado, o que o torna mais insidioso. Andy Crouch observa: "A celebridade combina a distância do poder com aquilo que parece ser exatamente o oposto: intimidade extraordinária, ou pelo menos uma encantadora imitação de intimidade". Ele prossegue:

> É o poder do rosto que ocupa todo o quadro do vídeo; da voz sedutora que sussurra ao microfone; da autobiografia cheia de revelações que o autor nunca dividiu com seu pastor, com seus pais ou, por vezes, nem mesmo com seu cônjuge ou namorado; o *tweet*, a *selfie*, o *insta*, o *snap*. Tudo isso nos permite ter a impressão de que conhecemos alguém sem, na verdade, saber muita coisa a seu respeito, pois, no fim das contas, sabemos apenas o que essa pessoa e os sistemas de poder que se desenvolvem ao seu redor escolheram que saibamos.[12]

Imaginamos que conhecemos nossos líderes de ministérios, dirigentes de louvor, autores, ativistas e evangelistas prediletos, pois os seguimos nas redes sociais ou os ouvimos pregar no palco, ou lemos suas palavras em uma página. No entanto, interagimos com um eu apresentado de forma mediada. E a ausência de verdadeiro conhecimento e de verdadeira prestação de contas cria ampla oportunidade de distorção e abuso de seu poder social. Ter imenso poder social e pouca proximidade é uma situação espiritualmente perigosa para qualquer um de nós.

Essa verdade se aplica não apenas a indivíduos, mas também a movimentos. Se as manchetes recentes, o consumismo evangélico e a educação que recebi na infância e adolescência servem de indicadores, a igreja em meu país está, de modo geral, imitando a cultura de celebridades em vez de se opor a ela. Temos inúmeras instituições construídas em torno de personalidades, pessoas com imenso poder social, mas pouca ou nenhuma proximidade. Passamos, faz muito tempo, do ponto em que podíamos considerar a celebridade uma ferramenta neutra.

Líderes caídos

Era uma tarde sombria de outono em 2014, e eu estava em uma de minhas cidades prediletas, a trabalho para a *Christianity Today* (*CT*). Essa revista, para a qual eu trabalhava havia anos como editora, estava preparando uma matéria de capa sobre mulheres apologistas, e eu tinha sido enviada a Oxford, na Inglaterra, para traçar o perfil de uma delas. No tempo de faculdade, eu havia estudado durante um semestre em Oxford e ficado encantada com o lugar. Aceitei com gratidão o convite para andar novamente nas ruas de paralelepípedo, passar debaixo da Ponte dos Suspiros e terminar o dia no tradicionalíssimo *pub* King's Arms.

Os charmes de Oxford, porém, não foram suficientes para tranquilizar minha inquietação enquanto eu me preparava para mais uma entrevista com a pessoa sobre a qual eu estava escrevendo. Ela trabalhava para uma organização que levava o nome de um apologista famoso, e a *CT* havia recebido uma informação preocupante a respeito dele apenas algumas semanas antes. De modo específico, tínhamos ouvido de uma fonte que não estava disposta a se pronunciar oficialmente que o apologista tinha sido visto em um hotel no exterior com uma mulher que não era de sua família nem de sua equipe de trabalho. Agora, cabia a mim perguntar a essa apologista se ela podia avalizar o caráter dele ou se tinha visto ou ouvido algo que conferisse credibilidade à informação que havíamos recebido.

Depois de uma longa conversa a respeito do trabalho acadêmico da entrevistada, chegou a hora de falar sobre o colega dela. Uma expressão de horror se espalhou por seu rosto quando lhe perguntei da maneira mais neutra possível sobre o caráter dele e mencionei a informação que a *CT* havia recebido. Ela declarou com veemência que nunca tinha visto ou ouvido nada que a levasse a questionar o caráter ou a integridade do apologista. Observou que, pelo fato de ele ser alguém tão conhecido, que proclamava o evangelho em um ambiente secular hostil, não era de surpreender que tivesse inimigos e fosse alvo de boatos espalhados na tentativa de derrubá-lo e de prejudicar a reputação da igreja.

Ela confiava nele, eu confiava nela, e não havia mais o que perguntar. Para dizer a verdade, fiquei aliviada. Relatei aos editores da *CT* o que eu tinha ouvido, e a história permaneceu adormecida por anos a fio.

Um dia, porém, veio à tona a verdade sobre esse evangelista tão benquisto, o que deixou seus fãs, apoiadores e a organização que levava seu nome estarrecidos e entristecidos.[13] Imaginávamos que o conhecêssemos, mas ele havia conseguido se esquivar de toda prestação de contas e levar uma vida dupla, em grande medida por causa de seu renome internacional e da confiança depositada nele à distância.

Não era a primeira vez que a *CT* havia recebido informações preocupantes sobre uma figura de destaque nos meios evangélicos, acusações críveis de conduta indevida feitas contra algum pastor, líder de ministério ou artista. Como revista jornalística independente, tínhamos a responsabilidade de investigar essas informações até encontrar a verdade. Por vezes, a impressão era de que um canal de notícias confiável como a *CT* era uma das poucas instituições habilitadas a exigir prestação de contas de líderes que pareciam ter se esquivado dela por outros meios. Sempre que a *CT* publicava uma reportagem com notícias negativas, era alvo de comentários hostis: estávamos espalhando fofocas, destruindo a reputação de alguém ou criando divisão dentro do corpo de Cristo. No entanto, a *CT* era motivada a relatar a verdade *por amor* à igreja, a fim de trazer à luz os "feitos inúteis do mal e da escuridão" (Ef 5.11) e buscar alguma forma inicial de justiça para as vítimas desses atos.

Por vezes, as denúncias que recebíamos não davam em nada, pois as fontes não estavam dispostas a se pronunciar oficialmente. Ainda se encontravam envolvidas com a igreja ou organização da figura pública em questão e tinham medo de perder o emprego ou a aceitação social ou de sofrer outras formas de represália. Por vezes, as informações eram mais complexas do que pareciam a princípio, acusações conflitantes sem comprovações sólidas. Em outras ocasiões, porém, como no caso desse apologista famoso, as informações que recebemos eram, para nosso horror, verdadeiras.

Ao longo dos anos, quanto mais denúncias chegavam à *CT*, mais eu me perguntava se os luminares do evangelicalismo eram quem diziam ser. Uma das consequências negativas de trabalhar com jornalismo é que nos tornamos cínicos; começamos a ouvir coisas preocupantes, em parte porque as pessoas nos procuram com a expectativa de que investigaremos as alegações. Com o tempo, comecei a questionar se os líderes cristãos mais famosos — talvez *porque* eram tão famosos e ocupavam uma esfera superior à da maioria dos mortais — eram pessoas de caráter cristão autêntico. Meus olhos de jornalista desenvolveram as cataratas da suspeita.

Muitos dos líderes cristãos caídos sobre os quais publicamos reportagens ao longo dos anos não haviam iniciado sua carreira como celebridades. À medida que empreendiam seu ministério, foram reunindo seguidores graças a suas realizações, criatividade ou virtude, as vias saudáveis que, no passado, levavam à fama. Desejavam servir a sua comunidade ou exercer forte impacto. Quase sempre, tinham começado com a esperança de tornar o nome de Cristo maior que o nome deles próprios.

Entretanto, com o passar do tempo, os líderes caídos parecem ter acumulado imenso poder social sem proximidade verdadeira. Cultivaram uma imagem de importância espiritual e, ao mesmo tempo, se distanciaram dos meios encarnados e pessoais de conhecer e ser conhecidos. Uma vez que eram tão talentosos, empreendedores ou articulados, as pessoas ao redor haviam permitido que se esquivassem na prestação normal de contas. É possível que membros do conselho, colegas ou mantenedores tivessem definido limites para seu poder, mas também podem ter dado espaço para que esses líderes fizessem e dissessem coisas que não eram permitidas a outros, tamanho era o valor deles para a missão que estava sendo realizada.

Aos poucos, formou-se um abismo entre quem eles eram por trás de portas fechadas e quem eram no palco ou em seus próprios sermões e relatos. Haviam começado a acreditar em sua autopromoção. E membros e funcionários da igreja, editores e fãs nas redes sociais que os veneravam estavam dispostos a alimentar essa propaganda exagerada, pois derivavam significado e identidade *para si próprios* de uma ligação artificial com a celebridade cristã. Esses indivíduos de renome tinham "plataformas" incríveis sobre as quais nós, seus fãs e seguidores, os havíamos colocado.

Hoje, o problema da celebridade na igreja ultrapassou em muito qualquer benefício temporário que ela possa ter oferecido ao longo do caminho. Antes de diagnosticar os diversos custos do poder da celebridade, porém, temos de voltar um pouco na história recente e entender como chegamos aqui e como poderíamos ter escolhido outro caminho.

2

As primeiras celebridades evangélicas

Quando eu era adolescente — depois de adquirir fervor evangélico, mas antes de desenvolver uma vida autêntica de oração —, meus pais me convidaram para ouvir Billy Graham pregar. Eu tinha uma vaga noção de quem ele era; provavelmente havia assistido a trechos de suas pregações antigas na TV e visto alguns de seus livros nas estantes de casa. Sabia que, em um período anterior de seu ministério, ele tinha feito amizade com presidentes e estrelas de Hollywood e que era gentil e respeitável em comparação com os líderes da direita religiosa. Era benquisto até por pessoas que não tinham nenhum vínculo com a fé cristã. E era conhecido, merecidamente, como o "Pastor da América".

Para dizer a verdade, hoje penso que teria sido melhor se eu houvesse ido com meus pais ouvir Billy Graham pregar. Em vez disso, contra a vontade deles, fiquei em casa para assistir a um filme com meu namorado ateísta. (A essa altura, meu desejo era resistir à imagem cristã puritana, e descobri que ter um namorado ateísta era uma boa forma de irritar outros cristãos.) A rebeldia não durou muito tempo; no início da vida adulta, quando estava começando a carreira, meu primeiro emprego foi na *Christianity Today*, a revista que Graham ajudou a fundar em 1956.

Quando Graham faleceu em 2018, aos 99 anos, em sua casa no alto de uma montanha na Carolina do Norte, foi manchete na mídia global. Cristãos e não cristãos prestaram tributos eloquentes. Claro que a vida de Graham teve em sua história fraquezas e fracassos, muitos dos quais ele confessou posteriormente. Ao longo dos anos, ele havia sido criticado por se aliar a políticos corruptos, por associar amor a Deus a amor à pátria durante a Guerra Fria, por fazer comentários insensíveis sobre a comunidade LGBTQ e a comunidade judaica e por não se mostrar disposto a apoiar publicamente o sonho de Martin Luther King Jr. de uma "comunidade amada". Ainda assim, Graham demonstrou humildade incomum em homens carismáticos capazes de reunir milhões em estádios. Chegou ao fim de sua vida sem escândalo e sem desonra.

Como certamente é o caso de muitos de vocês, tenho um relacionamento complicado com o evangelicalismo, o solo no qual as sementes de minha fé foram plantadas. O termo "evangélico" foi maculado por alianças políticas, pela centralidade dos brancos e sua resistência à justiça racial, por uma cultura de liderança que parece recompensar homens intimidadores e que silencia mulheres. Continua em discussão se racismo e machismo são características inerentes ao movimento ou se são disfunções que surgiram posteriormente. Quando as pessoas me perguntam se sou evangélica, hesito, dou uma risadinha sem graça e respondo: "É complicado". Ainda assim, se a definição de evangélico for: "Alguém semelhante a Billy Graham", como o historiador George Marsden disse em tom de brincadeira,[1] acho que aceito esse rótulo. Gosto de Billy Graham.

No entanto, por mais virtuoso que Graham fosse, ele adotou e perpetuou algumas das principais fraquezas do movimento evangélico no Ocidente. Ao mesmo tempo que resistiu à celebridade, sua abordagem ao ministério contribuiu para a dinâmica da celebridade que agora permeia o evangelicalismo. No movimento que ele impulsionou durante todo o século 20, o poder da celebridade sobrepujou o poder das instituições, especialmente da igreja local, que sempre foi o "plano A" de Deus para levar o evangelho aos confins da terra.

A fim de entender o papel descomunal da celebridade no evangelicalismo americano, temos de voltar à vida de Graham — que pode ser considerado o evangélico mais famoso do século passado — bem como à de outros evangelistas famosos que inspiraram sua abordagem.

Graham nasceu em Charlotte, Carolina do Norte, em 1918, o filho mais velho de um produtor de leite. Foi educado em uma família calvinista rígida, mas sua verdadeira conversão aconteceu quando ele tinha 16 anos. Ele se encontrou com Cristo da mesma forma que, posteriormente, ajudaria outros a abraçar a fé: por meio de uma série de encontros de reavivamento liderados por um evangelista carismático chamado Mordecai Ham. Esse pregador havia sido convidado por um grupo ligado a Billy Sunday, controverso ex-jogador de beisebol que tinha se tornado evangelista. Sunday, por sua vez, tinha abraçado a fé cristã por meio de um colega de Dwight L. Moody.

Portanto, a linhagem de Graham remonta a Moody, o mais famoso evangelista do século 19. Graham se tornou parte de uma tradição de homens carismáticos que pregavam um evangelho individualista, usavam os meios de comunicação para amplificar sua mensagem e se alinharam com celebridades de diversas áreas para conferir credibilidade cultural a sua mensagem.

Primazia do indivíduo

Para os evangélicos, não basta pertencer a uma igreja, recitar os credos ou mesmo ler a Bíblia. Ser cristão não é uma questão de seguir os rituais no culto ou ler uma oração tradicional.

É preciso "nascer de novo", como aconteceu comigo naquele evento com Geoff Moore e a banda Distance em 1998. O cerne da fé evangélica consiste em tomar a decisão pessoal e sincera de seguir Jesus, muitas vezes em resposta a uma mensagem poderosa do evangelho. Também consiste em convidar outros a fazer o mesmo.

Conforme uma definição clássica, ser evangélico é ter uma experiência individual de conversão e compartilhar a fé verbalmente com outros.[2] De acordo com essa fórmula, indivíduos têm uma forte experiência com Cristo que eles procuram inspirar em outros indivíduos. Graham se tornou parte dessa linhagem, que remonta a Jonathan Edwards, John e Charles Wesley e George Whitefield no Primeiro Grande Despertamento, e a Charles Finney e Barton Stone no Segundo Grande Despertamento. Por certo, essas figuras representativas também pertenciam a instituições. Lideraram igrejas, fundaram organizações missionárias e incentivaram os recém-convertidos a se tornarem membros de igrejas locais. Em primeiro lugar, porém, vinha a decisão individual de aceitar a Cristo, motivada pela pregação de uma figura individual dinâmica. Na opinião deles, a melhor maneira de transformar a cultura era transformar o coração humano, em vez de mudar instituições ao longo do tempo.

Não haveria Billy Graham sem Dwight L. Moody. Nascido em Massachusetts em uma família de pedreiros, Moody aceitou a Cristo aos 18 anos, depois que um colega lhe apresentou o evangelho. Concentrou seu evangelismo em Chicago, tanto entre os pobres quanto entre os ricos da cidade, por meio de redes de homens de negócios e da Associação Cristã de Moços (ACM). De acordo com o historiador Timothy Gloege, Moody desconfiava da tradição e da teologia da igreja; tinha dificuldade de interagir com "o protestantismo respeitável da classe média" e com sua ênfase sobre credos, autoridade e vida da igreja local.[3] Sua maior afinidade era com os empresários cristãos de Chicago que, em grande medida, atuavam fora das estruturas eclesiásticas. A Igreja da Rua Illinois formada por Moody em Chicago era não denominacional, conhecida como Igreja de Moody (como ainda é chamada até hoje).

Quando o edifício da igreja foi destruído pelo Grande Incêndio de Chicago, em 1871, Moody disse que Deus o havia instruído a se concentrar no evangelismo. Para isso, tomou emprestados do mundo dos negócios princípios considerados eficazes e os usou para "vender" a milhares de pessoas um evangelho simples e despretensioso. Ele evitava denominações e educação teológica. Acreditava que qualquer um podia conhecer a Deus ao estudar a Bíblia, sem a exegese de pastores ou acadêmicos. Em 1875, ao voltar de suas cruzadas evangelísticas na Europa, havia se tornado uma estrela internacional, graças, em boa medida, à cobertura da mídia. Em razão da enorme influência de Moody, no final do século 19 "muitos protestantes de todas as denominações passaram a entender a conversão como uma escolha que dava início a um relacionamento pessoal com Deus, e não como um processo por meio do qual se ingressava em uma comunidade eclesiástica".[4]

Os sucessores de Moody imitaram esse ímpeto individualista e anti-institucional. J. Wilbur Chapman, colaborador de Moody, começou a realizar seus próprios encontros de reavivamento e contratou como assistente William Ashley "Billy" Sunday. Billy Sunday era um jogador de beisebol famoso, contratado pela ACM para deixar o esporte e se tornar parte do circuito de encontros de reavivamento. Usava linguagem incisiva, especialmente contra liberais e evolucionistas. E, notadamente, tinha poucos vínculos com igrejas. Para ele, frequentar uma igreja não era sinal de fé verdadeira. "Ir à igreja não faz de você um cristão, assim como ir a uma oficina mecânica não faz de você um carro", ele brincava.[5] Foi ordenado em 1903, mas preferiu o ministério itinerante ao púlpito para anunciar sua mensagem. Corria, deslizava e pulava no palco, saltava em cadeiras para expressar sua indignação com os pecados da dança e da bebida. Sabia como cativar o público com espetáculo. Sua abordagem funcionou, e calcula-se que produziu cerca de trezentos mil convertidos.[6]

Um dos convertidos de Sunday foi Mordecai Ham, fundamentalista do Kentucky proveniente de uma longa linhagem de pregadores batistas. Ham foi ordenado, mas nunca chegou a pastorear uma igreja. Quando era jovem, queria trabalhar em vendas e, mais tarde, usou o carisma de vendedor para salvar almas. Em 1934, um grupo de homens — chamado Billy Sunday — convidou Ham para fazer uma série de encontros de reavivamento em Charlotte. Foi durante uma reunião em uma tenda que Ham pregou o evangelho para o jovem Billy Graham. Noite após noite, Graham foi ouvir Ham, foi convencido de seus pecados e creu na mensagem de que Deus podia redimir o pecador por meio da cruz de Cristo.

Graham seguiu o exemplo desses homens em seu ministério. Consequentemente, a autoridade espiritual de Graham vinha não de instituições, mas de seu carisma, de sua paixão e de seu poder de comunicação. Depois que se formou na Faculdade Wheaton, Graham pastoreou sua primeira igreja na periferia de Chicago. Essa também foi sua última igreja, pois suas ambições eram mundiais. Tornou-se parte da organização Mocidade Para Cristo Internacional, viajou pelos Estados Unidos e por boa parte da Europa e aproveitou a receptividade espiritual que ocorreu depois da Segunda Guerra Mundial. De 1949 a 1952, realizou cruzadas evangelísticas nacionais noticiadas em todo o país. Pregou em Washington, Boston, Los Angeles e outras grandes cidades e, depois, organizou importantes encontros de reavivamento em Londres e Nova York. Por onde passava, pregava o evangelho da transformação individual do coração. E, quando as pessoas saíam de um encontro evangelístico de Graham, lembravam-se principalmente do quanto esse pregador dinâmico era convincente, ao contrário da igreja local.

É verdade que Graham e a organização que leva seu nome faziam parcerias com igrejas nas cidades que visitavam. A Associação Evangelística Billy Graham incentivava os participantes das cruzadas evangelísticas a se tornarem membros de uma igreja; Graham assumiu o compromisso de jamais criticar igrejas em público. No entanto, a operação diária do ministério global de Graham ocorria fora da jurisdição de uma igreja local ou de seus líderes. Nada mais apropriado, pois, na linhagem evangélica à qual ele pertencia, era a pregação eficaz do indivíduo que levava alguém a Cristo, e não a participação em uma igreja e sua vida comunitária. O pregador itinerante famoso havia substituído a igreja local como o elo entre Jesus e os pecadores.

Tempos atrás, minha mãe contou como foi ver Graham pregar em 2002, três anos antes de ele se aposentar das cruzadas evangelísticas. Ela e meu pai foram com amigos da igreja ao Estádio Paul Brown, em Cincinnati. Tiveram de pegar um ônibus fretado dos subúrbios da cidade até o estádio, como fizeram outras cinquenta mil pessoas que compareceram ao evento. De acordo com ela, foi um momento eletrizante: os cantores gospel Kirk Franklin, Nicole C. Mullen e Michael W.

Smith fizeram apresentações, seguidas de um coral de quatro mil vozes. "Lembro-me da música e da sensação de unidade com tantos outros cristãos", minha mãe comentou. "A enormidade do evento me deixou maravilhada." E como poderia ser diferente? Estavam assistindo a uma pregação do Pastor da América no fim de sua longa carreira; foi emocionante, como são emocionantes quase todos os encontros de reavivamento.

Mas o título de Pastor da América não é muito preciso no caso de Graham. Um pastor é alguém que cuida de almas e, para cuidar de uma alma, é preciso conhecê-la. Do palco e da tela, Graham, ou qualquer outro líder cristão, não tem como falar a seus ouvintes de modo específico. O discipulado, como é descrito no Novo Testamento, exige a participação em uma comunidade, em que somos conhecidos *e, aliás, também conhecemos nossos líderes espirituais*. Mas sejamos honestos: a vida na igreja local e em outras comunidades cristãs é mais caótica e mais frustrante do que a participação em uma cruzada evangelística que provoca um estado de euforia espiritual. Pregadores e palestrantes de renome são mais fascinantes que o pastor José e suas calças cáqui com vincos. Não pedem que você dê o dízimo, não fazem perguntas pessoais nem tentam recrutar você para trabalhar na Escola Bíblica de Férias. O papel deles é suprir nossas necessidades pessoais de inspiração e ânimo.

A mídia

Um elemento importante da celebridade é o uso da mídia — jornais, rádio, televisão, livros e internet — para amplificar a mensagem e a imagem de uma pessoa famosa (veja o capítulo 1). A mídia nos põe em contato com mais seres humanos do que qualquer geração anterior poderia ter imaginado. E ela propaga uma mensagem atraente de modo mais amplo do que em qualquer outro período da história. Graham e outros evangelistas dos séculos 19 e 20 se empolgaram com essa realidade, pois a oportunidade de salvar mais almas justificava o uso de todas as ferramentas a seu dispor.

Os evangelistas que inspiraram Graham aproveitaram o poder da mídia impressa para criar uma aura de espetáculo antes dos encontros de reavivamento. Moody se aliou a editores de jornais em uma relação de simbiose: quanto maior era a cobertura de seus eventos pela imprensa, mais pessoas iam aos encontros, o que gerava manchetes ainda mais sensacionais. Moody "lamentou publicamente qualquer insinuação de que os homens fossem capazes de produzir um reavivamento, mas viveu para ver o dia em que seus retratos se tornaram um produto vendido com grande sucesso".[7] Antes de um dos encontros de reavivamento em Boston, organizadores usaram mala direta, outdoors e anúncios em bondes para criar a sensação de que "o reavivamento é algo grandioso" e de que "há muito tempo Boston não via nada parecido".[8] Antes dos encontros de reavivamento, os jornalistas podiam se acomodar em uma tribuna especial na parte da frente do auditório, e "o espetáculo gerado pela mídia ganhou vida própria".[9]

Moody sabia que essa abordagem podia atrair pessoas por motivos errados. Talvez fossem ao encontro em busca de entretenimento, apenas para assistir a uma apresentação. A seu ver, porém, era um risco que valia a pena se alguns homens e mulheres fossem convertidos ao longo do caminho. A cobertura da mídia que Moody recebia certamente o transformou em uma celebridade, alguém que devia ser conhecido, mesmo que os leitores nem sempre soubessem *por que* precisavam conhecê-lo.

Graham, por sua vez, recebia grande atenção da mídia sem pedi-la. Na terceira semana da cruzada evangelística de

Graham em Los Angeles, o magnata da imprensa William Randolph Hearst deu aos editores de todos os seus jornais uma ordem com duas palavras: "Divulguem Graham". Essa divulgação levou cerca de 350 mil pessoas aos encontros em Los Angeles e transformou Graham, então com 30 anos, em celebridade nacional.[10] Não é coincidência que parte da atração exercida por ele fosse ligada a sua boa aparência. O biógrafo Grant Wacker o descreveu como o "representante perfeito da masculinidade americana", com "um rosto de linhas bem definidas, olhos azuis, queixo quadrado e cabelos claros ondulados", e observou que "durante quase sessenta anos, praticamente todos os artigos de jornal sobre Graham falavam de sua aparência".[11]

Graham talvez fosse bem-apessoado demais para o rádio, mas não demorou a ver a capacidade desse meio de comunicação de alcançar um grande número de pessoas. "Graham adotou o rádio logo no início", comentou comigo Ed Stetzer, professor da Cátedra Billy Graham de Igreja, Missão e Evangelismo na Faculdade Wheaton, em uma entrevista por telefone. "Ele percebeu e canalizou o poder do rádio pessoalmente, e as cruzadas evangelísticas também foram amplamente televisionadas."[12] Em 1950, Graham lançou o programa *Hora da decisão* em 150 estações da rede ABC de televisão. O programa logo passou a ser transmitido por mil estações. Nessa mesma década, ele começou a filmar as cruzadas evangelísticas. Como Moody, sua equipe divulgava os congressos na mídia para chamar a atenção antes de chegar à cidade. Mais de 2 milhões de pessoas foram à cruzada evangelística de Graham no Madison Square Garden em 1957, e suas transmissões por televisão geraram 1,5 milhão de cartas e 330 mil conversões atestadas.[13] Seus programas de rádio e televisão continuaram por décadas, capitalizando o apetite crescente dos americanos por entretenimento. Aos 75 anos, Graham chegou a participar de uma entrevista ao vivo de uma hora no portal de internet America Online (AOL).

Graham se mostrou pioneiro, progressista e pragmático no uso de novas tecnologias. Entendeu de forma presciente que a mídia de entretenimento tinha poder de cativar o coração e a mente dos consumidores americanos. E lançou mão dessas ferramentas para alcançar o maior número possível de pessoas com uma mensagem clara do evangelho.

Embora Graham tenha passado a maior parte da vida debaixo dos holofotes, parecia autêntico e acessível. Seu carisma era inegável, mas tinha um ar despretensioso. Graham não queria brilho e não ostentava um estilo de vida luxuoso. Ainda assim, a mídia, especialmente a televisão, dá forma tanto ao produtor quanto ao telespectador levando-os a assumir papéis adequados ao meio de comunicação: isto é, artista e consumidor. No rádio e na televisão, pregadores como Graham são artistas que nos entretêm e cuja mensagem recebemos e consumimos, muitas vezes sozinhos em casa ou no carro, desvinculados de uma comunidade encarnada.

O evangelho chega a nós de várias formas: por meio da linguagem falada ou escrita; por meio de ações e comportamentos que glorificam a Deus; e, mais poderosamente, por meio da vida humana de Jesus e de sua pregação, suas curas, suas refeições compartilhadas e sua morte sacrificial e ressurreição. O evangelho é sempre mediado. Contudo, se consideramos Cristo nosso modelo, sabemos que as boas-novas são compartilhadas de modo mais eficaz por meio de relacionamentos, do amor encarnado. Em Cristo, Deus demonstrou seu poder na "ineficiência" radical dos relacionamentos próximos com umas poucas pessoas durante sua vida aqui na terra. Quando os cristãos atendem ao evangelho, formam comunidades de amor (a igreja) que pronunciam a palavra suprema de amor para o mundo. Vale a pena repetir: o corpo de Cristo sempre foi o "plano A" de Deus para o mundo.

Por certo, evangelistas na era da mídia têm a seu dispor meios mais "eficientes" de pregar o evangelho do que Jesus tinha em seu tempo. Graham tratou desse fato abertamente:

> A televisão é a ferramenta mais poderosa de comunicação já desenvolvida pelo homem.
>
> Cada "programa especial" no horário nobre é transmitido a quase trezentas estações por todos os Estados Unidos e pelo Canadá, e portanto, em uma só transmissão, eu prego para milhões de pessoas mais do que Cristo pregou em toda a sua vida.[14]

Se o sucesso no ministério é medido pelo número de ouvintes, faz sentido que Graham tenha usado a televisão e outros meios de comunicação. Por que pregar a uma centena de pessoas quando se tem ferramentas para pregar a milhões?

Todavia, o meio não apenas transmite uma mensagem; ele também transforma a mensagem. Um meio de comunicação criado para entretenimento transforma o evangelho em uma mensagem de entretenimento. O teórico da mídia Neil Postman chamou o raciocínio de Graham para o uso da televisão de "grande ingenuidade tecnológica".[15] Em *Amusing Ourselves to Death* [Entretendo-nos até à morte], Postman observa que, quando o evangelho é traduzido para a televisão, é despido de tudo o que distingue a atividade religiosa de outras atividades humanas, sendo dessacralizado. Os espectadores podem cozinhar, pagar contas ou ler o jornal com o som de mensagens espirituais ao fundo, desde que o pregador-celebridade seja suficientemente cativante. Lado a lado com o noticiário da noite e os reality shows, o evangelho se torna mais uma forma passiva de entretenimento.

Postman observa, ainda, que quando o evangelho é televisionado, "o pregador assume o primeiro plano. Deus se torna o coadjuvante. [...] Programas religiosos são repletos de animação. Celebram a afluência. Seus protagonistas se tornam celebridades".[16] Sem dúvida, foi o que aconteceu com Graham. Na década de 1970, ele já era convidado frequente em programas de entrevista como os de Johnny Carson, Woody Allen e Phil Donahue. Falava em frases curtas e incisivas, perfeitas para serem citadas posteriormente em reportagens. De acordo com Wacker, Graham era um dos poucos americanos que não precisava de endereço para correspondência; bastava colocar o nome dele como destinatário.[17] E, também na década de 1970, ele já era conhecido por muitos como o "Pastor da América", desfrutando acesso à Casa Branca, apesar dos danos que sua reputação sofreu por ele ter se aliado ao presidente Nixon. O movimento evangélico que ele representava pegou carona em sua ascensão. Evangélicos se definiam mais por uma lista daqueles de quem eles gostavam e em quem confiavam do que por suas crenças. Ninguém ocupava lugar mais alto nessa lista do que Graham.

Amigos famosos

Em 1949, Stuart Hamblen era um ator e apresentador de rádio que gostava de bebida, de mulheres e de cantar sobre ambos os assuntos. Suas diversões extravagantes o haviam colocado em apuros. Então, ele conheceu Graham em Beverly Hills, entrevistou-o em seu programa de rádio e participou de uma de suas cruzadas evangelísticas. Depois de algumas noites de conflito interior, Hamblen telefonou para Graham às 4h30 da manhã para lhe dizer que estava pronto para entregar a vida a Cristo.

Não foi apenas um recomeço para Hamblen; foi um sucesso monumental para as cruzadas evangelísticas. Graham atribuiu à conversão de Hamblen, bem como à ordem de Hearst para "divulgar Graham", as multidões que participaram de seus eventos em Los Angeles. Outras conversões famosas de Graham nessa época foram o corredor Louis Zamperini e "Big Jim" Vaus, especialista em grampo telefônico que trabalhava para chefes da máfia. Essas conversões deram projeção nacional ainda maior a Graham e conferiram credibilidade à fé cristã.

Não era a primeira vez que evangelistas formavam ligações com pessoas ricas, poderosas e conhecidas. Dwight L. Moody dependia de empresários influentes para custear suas missões e viagens internacionais. Billy Sunday, ex-jogador de beisebol, ingressou no ministério quando era uma celebridade que conhecia pessoas como Woodrow Wilson e o magnata John D. Rockefeller.

Graças ao renome de Graham, ele tinha contato com atores, músicos, atletas e membros da realeza. Johnny Cash, amigo de longa data, tocou e falou em várias de suas cruzadas evangelísticas. Graham também era amigo de Martin Luther King Jr. e o convidou para pregar em uma cruzada em Nova York em 1957. Graham ofereceu apoio espiritual para todos os presidentes dos Estados Unidos de Harry Truman a Barack Obama. Encontrou-se com Muhammad Ali várias vezes. Correspondeu-se com Nelson Mandela durante os 27 anos de prisão do líder sul-africano. A rainha Elizabeth II o convidou repetidas vezes para pregar.

Sem dúvida, tendo em conta a personalidade e o carisma natural de Graham, ele gostava de interagir com essas pessoas influentes. Era bem-apessoado, gentil e simpático. No entanto, ele também formou essas ligações com pessoas famosas para mostrar a idoneidade do movimento evangélico. Ao contrário de seus primos fundamentalistas, os líderes evangélicos pós-guerra se orgulhavam de dialogar com a cultura geral em vez de se afastar dela. Graham imitou e aceitou o poder da celebridade. Mostrou que é possível crer, por exemplo, na autoridade bíblica, na volta de Jesus, em um inferno literal e, ainda assim, manter relacionamentos amigáveis com ricos e famosos, entre eles, Cecil B. DeMille e Katharine Hepburn. Ele representava o anseio dos evangélicos por respeitabilidade cultural sem precisar diluir sua fé. Os cristãos podiam vê-lo na televisão fazendo piadas com Woody Allen e se sentir mais confiantes de que eram bíblicos e, ao mesmo tempo, "relevantes". Graham tem uma estrela na Calçada da Fama em Hollywood. Ele compartilhou o evangelho com estrelas e, ao fazê-lo, tornou-se uma estrela também.

Indivíduos acima de instituições

Quanto ao número de pessoas alcançadas, podemos dizer que Graham foi o maior evangelista de todos os tempos, pois se calcula que tenha levado a Cristo 2,2 bilhões de pessoas. Sua mensagem individualista, o uso da mídia e a capacidade de fazer amizade com pessoas influentes deram muitos frutos para o reino. E, para nossos propósitos, é importante observar que ele dava sinais de boa saúde espiritual longe dos holofotes em dois aspectos fundamentais.

Primeiro, embora sua pregação sempre enfatizasse a transformação individual do coração, ele também investia em instituições que não dependiam de seus dons nem de seu carisma para ser bem-sucedidas. Podemos citar organizações como Mocidade para Cristo, a Associação Nacional de Evangélicos, o Seminário Teológico Fuller, o Movimento de Lausane, a revista *Christianity Today* e a Associação Evangelística Billy Graham, entre outras que definiram o movimento evangélico pós-guerra. Em comparação com Dwight L. Moody, Billy Sunday e Mordecai Ham, Graham era firmemente a favor da igreja e de instituições. Parecia reconhecer "a ideia radical [...] de que as melhores coisas que os seres humanos fazem juntos são maiores e mais duradouras do que qualquer pessoa que ocupe um cargo temporário de poder".[18]

Líderes saudáveis entendem que o trabalho importante não cessa quando eles se aposentam ou falecem e que as instituições são capazes de fazer muito mais ao longo do tempo do que um indivíduo durante sua vida. Líderes saudáveis capacitam outros para que realizem e levem adiante boas obras e sabem que as pessoas ao seu redor servem a uma causa, não ao líder. Pode ser clichê, mas também é bíblico: líderes saudáveis entendem que *nós* é maior que *eu*. Nesses aspectos, Graham foi um líder saudável.

Segundo, Graham reconheceu sua celebridade logo no início e lutou com as tentações ímpares que ela trouxe. Pouco depois de alcançar sucesso como evangelista jovem e bem-apessoado, guardou-se das tentações associadas a dinheiro, sexo e poder que haviam derrubado outros evangelistas, dos quais o mais conhecido era o pregador pentecostal Aimee Semple McPherson.

Conta-se a seguinte história: Em 1948, em um quarto de hotel em Modesto, Califórnia, Graham e outros três homens de sua equipe de reavivamento concordaram em nunca se encontrar sozinhos com nenhuma outra mulher além das respectivas esposas. As conversas sobre o Manifesto de Modesto, que nasceu desse acordo, geralmente se atêm a esse ponto, conhecido como Regra de Billy Graham. Quando essa regra é usada por líderes políticos, parece obscura e obsoleta em um mundo em que mulheres e homens trabalham juntos e precisam se reunir pessoalmente para tratar de negócios. Nas comunidades cristãs, essa regra é usada de maneiras que levam muitas mulheres a se sentir objetificadas e sexualizadas. (Certa vez, ao chegar a uma reunião no café da manhã com um homem mais velho, líder de uma ONG cristã, descobri que tínhamos um acompanhante. Essa situação fez com que eu me sentisse estranha, como se o simples fato de eu ser mulher fosse um risco. Também me perguntei o que ele imaginou que aconteceria enquanto tomávamos café.) Por vezes, essa regra parece servir mais para proteger líderes do sexo masculino de acusações falsas de falta de integridade, como se o verdadeiro problema de se encontrar sozinho com uma mulher fosse o perigo de ser cancelado. E, o que é mais importante, essa regra excluiu mulheres de muitos círculos de poder em que suas considerações e a prestação de contas são encarecidamente necessárias.

Costumamos nos esquecer do restante do Manifesto de Modesto. Nele, Graham e sua equipe concordaram em atuar com transparência financeira. O salário de Graham seria definido pelos diretores, e não de acordo com os fundos angariados nas cruzadas evangelísticas. Graham e outros líderes puseram de lado a prática de alguns evangelistas de fazer pressão sobre os convertidos, em um momento de emotividade e vulnerabilidade, para contribuir com sua causa. Também concordaram em trabalhar com igrejas e pastores locais a fim de edificar instituições cristãs em vez de se colocar acima delas ou contra elas. Além disso, assumiram o compromisso de ser honestos a respeito do número de participantes dos encontros e resistir à tentação de fornecer, por uma questão de publicidade, números maiores do que poderia ser comprovado.[19]

Graham percebeu com sabedoria presciente o quanto seria inebriante para líderes imaginar que sua importância é tal que poderiam se esquivar da necessária prestação de contas, mesmo — e talvez especialmente — quando seu trabalho parece essencial para o reino. Entendeu que a mentira central do poder da celebridade consiste em imaginar que um indivíduo é importante o suficiente para operar acima das regras. Entendeu que a celebridade pode, facilmente, levar líderes cristãos a buscar riquezas pessoais, contrariando as muitas advertências bíblicas para evitar a cobiça e o amor ao dinheiro. Entendeu que a celebridade leva muitos líderes a imaginar que podem trabalhar sozinhos, que seus ministérios e suas plataformas individuais são mais importantes e centrais do que o testemunho comum das igrejas locais. E entendeu que a celebridade pode levar líderes a distorcer a verdade, quer sobre o número de participantes de um evento, quer sobre o número de seguidores nas redes sociais, a fim de aumentar a importância de seu ministério.

Vemos em retrospectiva a sabedoria do Manifesto de Modesto. Os perigos dos quais Graham e seus colegas tentaram se proteger se concretizaram em várias partes da igreja americana. Como observei, Graham contribuiu para o problema da celebridade ao pregar um evangelho individualista, adotar sem reservas a mídia e fazer amizade com celebridades. Mas ele também procurou, pessoalmente, se guardar desse problema ao assumir um compromisso com instituições e comunidades em que pudesse ser conhecido e visto como ser humano, com fraquezas como todos nós.

De modo contrastante, muitos líderes cristãos são levados pelo poder da celebridade e têm poucas ferramentas para detectar como ele opera em sua alma e poucas salvaguardas para se proteger dessa força descomunal em suas igrejas e organizações. Essa realidade se deve, em parte, a algo simples: o poder da celebridade em nossos dias ultrapassou consideravelmente o poder das instituições, entre elas, da igreja.[20] Nas duas gerações abarcadas pelo ministério público de Graham, boa parte do mundo ocidental testemunhou a desintegração das formas e estruturas comuns de organização em nossa vida social conjunta. De acordo com o analista político Yuval Levin, a melhor maneira de considerar as instituições é como "configurações duráveis de nossa vida em comunidade. São as formas e as estruturas daquilo que fazemos juntos".[21] Desde o Congresso até corporações, jornais, instituições de ensino e comunidades religiosas, cada instituição desempenha um papel social importante. E, no momento, todas elas enfrentam uma crise de confiança nos níveis mais profundos. De acordo com Levin, a maioria das instituições de hoje não produziu pessoas de caráter e, portanto, se tornou vulnerável a corrupção e a outros abusos de poder. Hoje em dia, é mais provável que instituições sirvam de "plataformas para apresentação e proeminência" usadas por líderes para projetar sua imagem pública e sua marca, em vez de serem locais de boas obras coletivas e de transformação social.[22]

Ao descrever a política americana, Levin observa que os líderes políticos usam o Congresso — uma instituição de grande importância para nossa vida em comunidade — "como palco para se elevar, projetar sua imagem e se apresentar diante das câmeras no reality show de nossa incessante guerra cultural".[23] O trabalho enfadonho, mas importante, de legislar soçobra no drama da indignação alimentada pelos meios de comunicação e pelo interminável ciclo de notícias.

Levin não é muito mais gentil ao falar da igreja:

> Observe muitas das instituições proeminentes da religião americana e você verá que, embora seu propósito fosse transformar corações e salvar almas, com frequência elas são usadas como palcos adicionais para o feroz teatro político e, em vez de formar aqueles que estão dentro delas, servem de espaço para o extravasamento de suas ideias.[24]

Em outras palavras, muitas de nossas instituições religiosas servem a líderes individuais em vez de esses líderes servirem às instituições. Igrejas se tornam uma plataforma para que o pastor possa expandir a influência de seu ensino para além de seus membros, as pessoas que ele é chamado a servir. O trabalho de organizações religiosas sem fins lucrativos (como a Associação Evangelística Billy Graham) é obscurecido por representantes espalhafatosos que usam a organização para amplificar suas mensagens ideológicas pessoais. E os editores de livros cristãos e os organizadores de congressos dizem a líderes cristãos que a venda de livros ou o circuito de congressos será mais influente e importante do que qualquer coisa que esses líderes façam em sua igreja ou organização. Instituições são, com grande frequência, plataformas para autoexpressão, e não o âmbito de profunda formação moral.

Claro que nada disso é culpa de Graham. O movimento evangélico ao qual ele pertencia sempre favoreceu indivíduos carismáticos em lugar de instituições, especialmente indivíduos capazes de inspirar transformações dramáticas no coração dos membros da plateia que eles cativam. O evangelicalismo, especialmente nos Estados Unidos, sempre deu grande valor a indivíduos empreendedores em lugar de instituições empoeiradas ou "mortas". Essa realidade produziu esforços criativos intensos para compartilhar o evangelho e disposição de experimentar novos métodos e capacitar indivíduos talentosos que, possivelmente, não se encaixariam bem na vida denominacional ou na cultura eclesiástica. Mas também gerou uma situação em que há menos imposição de limites para a influência e o poder, menos prestação de contas e maior potencial para que líderes alcancem o sucesso com base em carisma, ambição ou desenvoltura, em lugar de um desejo autêntico de servir a outros à semelhança de Cristo. Essa realidade fica mais evidente no movimento das megaigrejas, do qual trataremos em seguida.

3
Megaigreja, megapastores

A igreja local é a esperança do mundo, e seu futuro se encontra, principalmente, nas mãos de seus líderes.

BILL HYBELS[1]

Quando Bill Hybels ingressou no ministério, ele acreditava, verdadeiramente, na igreja local. Em seu livro *Liderança corajosa,* ele fala do momento em que entendeu o que uma igreja poderia ser. Era 1971, e ele estudava na Universidade Internacional Trinity, nos arredores de Chicago. Gilbert Bilezikian, seu professor de Novo Testamento, apresentou uma visão tão impressionante da igreja em Atos 2 que Hybels considerou aquele dia um divisor de águas. Foi tomado por uma visão de cristãos cuja vida em comunidade refletia o amor de Cristo pelo mundo:

> Naquele grupo de seguidores de Cristo, os cristãos amavam uns aos outros com um tipo radical de amor. Tiravam as máscaras e compartilhavam a vida uns com os outros. Riam e choravam, oravam e cantavam e serviam juntos em genuína comunhão cristã. [...] Era algo tão ousado, tão criativo, tão dinâmico que eles [os incrédulos] se viam incapazes de resistir.[2]

Hybels, de uma família de empresários do oeste de Michigan, logo desistiu da faculdade de administração e se tornou um dos líderes de um grupo de jovens. Esse grupo, chamado

"Son City", usava música pop, dramatizações e discussões sobre temas relevantes para atrair jovens. Depois de um tempo, mais pessoas frequentavam o encontro de jovens da igreja do que os cultos de domingo.

Em 1975, Hybels saiu do grupo Son City para começar uma igreja que se reunia em um cinema em Palatine, Illinois. A igreja foi planejada em função de uma pesquisa feita de porta em porta para saber de que as pessoas não gostavam em igrejas. O objetivo era criar uma comunidade cristã que atendesse às supostas necessidades desses indivíduos. Essa abordagem funcionou: em três anos, a Igreja Comunidade Willow Creek cresceu de cem para mil membros, com líderes fervorosos à frente, pouca infraestrutura e a oportunidade de fazer experiências sem uma denominação ou um conselho para exigir que os líderes seguissem determinada fórmula. Deve ter sido um período empolgante, um eco da visão de Atos 2 que havia inspirado Hybels a ingressar no ministério.

Claro que a Willow Creek não foi a primeira congregação a crescer rapidamente ou usar técnicas de marketing para atrair pessoas em busca de uma vida espiritual. Duas décadas antes, Robert Schuller (que, como Hybels, veio de lar reformado holandês) tinha ido de porta em porta no distrito de Orange, na Califórnia, perguntar às pessoas por que não frequentavam a igreja. Logo depois, Schuller começou a realizar cultos em cinemas drive-in em que apresentava mensagens positivas e animadas. Seu ministério norteado pelo mercado deu origem, tempos depois, ao programa de televisão *Hora do poder* e à impressionante e cintilante Catedral de Cristal, que ele descreveu certa vez como um "shopping center de quase noventa mil metros quadrados para Jesus Cristo".[3] Hybels e outro pastor aspirante, Rick Warren, lançaram mão explicitamente do modelo de Schuller para começar igrejas que atraíssem os espiritualmente curiosos ao se parecerem menos com igrejas e mais com uma mistura de teatro, shopping e centro comunitário em um só lugar.

A megaigreja, definida como uma igreja com mais de dois mil membros é, por uma perspectiva, uma história de sucesso ministerial em um tempo em que as pessoas têm abandonado a religião. Hoje, há cerca de 1.750 megaigrejas nos Estados Unidos. Em algumas delas, a frequência semanal é de mais de trinta mil pessoas.[4] Com ênfase em *crescimento* — de edifícios, orçamentos e traseiros (nos bancos da igreja) — a megaigreja é uma expressão devidamente americana da igreja. Se a igreja tradicional é pequena e antiquadamente charmosa, megaigrejas deixam bem claro que tamanho importa. Se a igreja tradicional é formal e enfadonha, megaigrejas impressionam com sua arquitetura estilosa, seus líderes de louvor descolados e suas referências à cultura pop. Se a igreja tradicional enfatiza culpa, julgamento e sacrifício, megaigrejas inspiram seus membros com uma mensagem incisiva de potencial humano fortalecido pelo Espírito Santo, sempre pronto a transformar seus sonhos pessoais e profissionais em realidade.

Desde que esse modelo começou a ganhar força na década de 1970, algumas megaigrejas amadureceram, superaram a mentalidade de crescimento a qualquer custo e passaram a convidar aqueles que participam de seus cultos a uma formação mais profunda, que transforma consumidores em discípulos arraigados em uma comunidade autêntica. Megaigrejas podem ser excelentes para famílias à procura de programas criativos para crianças e jovens. Podem angariar recursos para atender a suas cidades em momentos de crise. Muitas estão na linha de frente da luta contra a pobreza mundial e da oferta de água limpa e de educação para o mundo todo. E é claro que Deus pode usar e continuará a usar modelos de igreja imperfeitos para realizar os propósitos do reino.

No entanto, a megaigreja também alterou nosso conceito de pastor de modo marcante e preocupante. Muitas megaigrejas transformam o pastor titular em celebridade e permitem que seu poder individual sobrepuje o poder da instituição. (O uso de pronomes masculinos é intencional; como a historiadora Kate Bowler observa: "Apenas umas poucas mulheres lideraram megaigrejas na história dos Estados Unidos, e sua autoridade sempre foi precária".[5] Embora haja exceções, as megaigrejas refletem a preferência evangélica americana por homens brancos para os cargos mais elevados de liderança.)

Além do tamanho, da busca por atender a supostas necessidades e da ênfase sobre crescimento em lugar de profundidade, uma característica que define as megaigrejas é a atenção que o pastor titular recebe. Quase sempre, os pastores dessas igrejas são "homens excepcionalmente talentosos e pessoalmente carismáticos".[6] Em comparação com grandes igrejas católicas e protestantes tradicionais, as megaigrejas são "produto de um líder espiritual extremamente talentoso", e o espírito e o ambiente da igreja refletem a visão e a personalidade do líder individual.[7] Naturalmente, o pastor forma uma equipe numerosa de funcionários e voluntários encarregados de concretizar a visão para a igreja. Ninguém tem dúvida, porém, de que a visão é *dele*.

Se a igreja "dá certo", ou seja, se cresce em número de edifícios, orçamento e traseiros nos bancos, ela começa a imaginar que seu sucesso depende do sucesso do pastor. A identidade da instituição é entrelaçada com a do pastor; a imagem pública do pastor atrai fama e renome para a igreja. Ter um pastor-celebridade parece beneficiar a igreja; melhor ainda se celebridades *de verdade* começarem a frequentá-la. Com o tempo, uma crença perniciosa pode se consolidar: a igreja não teria como prosseguir sem o pastor titular à frente. É quase como se Deus dependesse do pastor-celebridade para realizar seus propósitos divinos. É quase como se o pastor fosse Deus.

A Willow Creek nunca foi a maior megaigreja. Sua sede em South Barrington, uma região de classe alta próxima de Chicago, tem lugar para 7.200 pessoas, um número modesto no universo das megaigrejas. Em 2018, a Willow Creek tinha 25 mil membros em sete locais de culto. A Igreja Lakewood, de Joel Osteen, a Comunidade North Point, de Andy Stanley, e a Igreja Vida, de Craig Groeschel, têm uma frequência semanal muito maior. No entanto, a Willow Creek sempre foi a mais influente e se posicionou como modelo para igrejas que desejavam imitar seu crescimento. A partir de 1992, a Associação Willow Creek (AWC) passou a organizar congressos e oferecer treinamento, consultoria e outros recursos para igrejas que quisessem ter crescimento semelhante ao que a Willow Creek experimentou nas décadas de 1980 e 1990. Em 2000, a AWC tinha mais de cinco mil membros, unidos não por doutrina, mas por metodologia.[8] O evento mais importante da AWC era o Summit Global de Liderança, congresso anual com preletores impressionantes: CEOs, inovadores, empreendedores, ex-presidentes e até Bono, do U2. Hoje, esse evento (agora chamado Rede Global de Liderança) é transmitido para 123 países em 60 línguas e leva a Willow Creek para o mundo inteiro.[9]

Uma vez que a Willow Creek serviu de modelo para tantas igrejas — e tendo em conta os capítulos mais recentes e arrasadores de sua história —, precisamos examinar a figura do pastor-celebridade em seu núcleo. Por certo, muitas outras igrejas colocam seus pastores no pedestal de celebridades e confundem a identidade da igreja com a de seu líder mais visível. A Igreja Mars Hill ascendeu e caiu seguindo o caminho da *persona* de Mark Driscoll, o ousado pastor fundador cujas muitas controvérsias e abusos afundaram a igreja no final de 2014. A Capela Bíblica Harvest teve um destino semelhante em 2019, quando James MacDonald foi demitido por abuso verbal, bullying e uso de recursos da igreja para comprar várias casas e motos e pagar por várias viagens de caça e pesca. E, em 2020, a rede global da Igreja Hillsong enfrentou uma crise quando o pastor titular da sede de Nova York, Carl Lentz, foi demitido em razão de adultério. Essas são apenas algumas das histórias que tiveram visibilidade nacional; sem dúvida, os leitores se lembrarão de outras histórias trágicas de pastores em nível local.

Dito isso, vale a pena relatar com exatidão o que aconteceu na Willow Creek, pois a igreja vendia a abordagem de seu pastor-celebridade explicitamente a outras igrejas. Isso significa que o capítulo mais recente de sua história pode ser reproduzido e ter efeitos calamitosos.

Em 2018, os jornais *Chicago Tribune* e *New York Times* e a revista *Christianity Today* publicaram reportagens dignas de crédito em que detalhavam alegações de assédio sexual feitas por várias mulheres contra Hybels desde a década de 1980. Hybels, agora aposentado, continua a negar essas alegações. Uma investigação independente contratada por líderes da Willow Creek em 2019 concluiu que as alegações eram críveis. Como consequência, todos os presbíteros e vários pastores pediram demissão. Hoje, enquanto a igreja procura se dissociar do nome de seu líder mais famoso, a frequência aos cultos e as contribuições financeiras estão em queda.

No entanto, a história da Willow Creek não é feita apenas das tentações sexuais de um só indivíduo, por mais importante que seja todo líder de ministério buscar integridade e prestar contas a outros nessa área. A história da Willow Creek é espantosa, mas não é singular. Vemos a mistura nociva de carisma, raiva, falta de prestação de contas, sigilo e tratamento VIP na maioria das outras histórias de fracasso moral de líderes cristãos. Assim como a Willow Creek pediu para ser o modelo de sucesso como megaigreja, infelizmente, hoje ela é modelo de fracasso como megaigreja. E tudo começou bem antes dos abusos de poder cometidos por Hybels.

Sensível aos interessados

A sede da Willow Creek é impressionante e, ao mesmo tempo, discreta. Situado em uma área arborizada de quase 365 mil metros quadrados, à beira da Rodovia Interestadual 90, na região norte de Chicago, o edifício principal se parece com os escritórios de uma grande empresa. Não há nada na arquitetura ou no estilo que transmita a ideia de "igreja", e é justamente esse o objetivo. O estacionamento aberto não é diferente do que vemos em grandes parques de diversão, com placas nas fileiras que ajudam os visitantes a se lembrar de onde deixaram o carro. As primeiras vagas são para portadores de deficiências físicas e pessoas que estejam visitando pela primeira vez.

Aimee, que passou a infância e adolescência na Willow Creek e aceitou ser entrevistada para este livro, lembra-se de pensar na igreja como se fosse a Disneylândia. Quando seus pais começaram a frequentar a Willow Creek no início da década de 1980, o estacionamento era de cascalho. "O edifício não tinha campanário; parecia uma nave espacial", ela comentou.[10] Aimee, que antes ia à missa na igreja católica, ficou impressionada com a sensação contemporânea do espaço da igreja e com o quanto todos eram amigáveis. Ela se lembra de ficar surpresa que, em sua primeira visita, a voluntária do ministério infantil lhe perguntou o que *ela* pensava de determinadas histórias da Bíblia.

Sua mãe achou o lugar lindo; a família continuou a frequentar os cultos e, por fim, todos se tornaram membros. A mãe gostava da música e se encantava com os sermões de Hybels, que a família ouvia em fitas cassete no carro. "A Bíblia de minha mãe era toda sublinhada", diz Aimee. Ela se lembra do Centro de Recursos Sementes, a livraria que vendia livros, adesivos e fitas de músicos cristãos contemporâneos como Amy Grant e Sandi Patty. Para quem não havia crescido na igreja, ou que tinha uma experiência ritualista ou impessoal, a Willow Creek abria um novo horizonte. As mensagens de Hybels eram acessíveis, fáceis de acompanhar e práticas. Os visitantes descobriam que a caminhada com Jesus encheria sua vida de alegria e propósito.

Visitantes que não tinham interesse em conteúdo teológico encontravam outros motivos para ir à igreja. Para começar, a música era excelente, com cantores e músicos profissionais cujas apresentações eram semelhantes aos sucessos do rádio. No domingo em que visitei a Willow Creek, em 2021, uma equipe jovem e diversa com oito ou dez músicos subiu ao palco de design moderno em meio a fumaça de gelo seco. As luzes baixaram enquanto Sharon Irving, filha do músico de jazz Robert Irving III e ex-concorrente do programa *America's Got Talent*, nos dirigiu em três cânticos de louvor. Os visitantes acompanhavam a letra em dois telões de vídeo. Alguns levantavam as mãos em louvor. Outros as mantinham no bolso. Todos tinham liberdade de participar como desejassem.

Até mesmo visitantes que não gostassem de louvor dominical poderiam encontrar diversos outros motivos para participar da Willow Creek, especialmente se tivessem filhos. No fim de semana em que fiz minha visita, a igreja estava no meio de sua programação de férias. Entre as atividades planejadas, haveria uma festa à beira da piscina, um *day camp*, um encontro para jovens adultos, uma reunião do clube de livros feminino, um dia para doar sangue, um congresso de homens, um evento para arrecadar mochilas e materiais escolares para a volta às aulas e uma apresentação infantil realizada por participantes do ministério de crianças com necessidades especiais. A Willow Creek tem um ministério para cada grupo demográfico imaginável.

Laura Barringer começou a frequentar a igreja por meio dos encontros do Axis, um ministério para jovens que operou entre 1996 e 2006. "Era uma forma incrível de vivenciar conexão e comunidade", Barringer comentou comigo em uma entrevista por telefone. "Era empolgante. Era divertido. [...] A música e as dramatizações eram demais, e ali encontrávamos nossos amigos."[11] Antes das programações, os participantes se reuniam na cafeteria da igreja, como o elenco de *Friends* na década de 1990, em que beber cappuccino durante o culto era novidade. Os encontros do Axis eram nas noites de sábado e, em seu auge, contavam com dois mil participantes todas as semanas. Esses encontros acabaram, em parte, porque os líderes perceberam que haviam criado uma igreja separada, cujos membros não tinham vínculos com aqueles que frequentavam os cultos matutinos de domingo. Ainda assim, refletiam o que a Willow Creek e igrejas parecidas sabem fazer melhor: atender àquilo que os participantes consideram necessário a fim de conduzi-los a um encontro emocionante com Jesus.

A visão do líder

A mãe de Aimee gostava das mensagens de Hybels. O pai dela, por sua vez, gostava do fato de que Hybels era capelão do time de futebol americano Chicago Bears. Naquela época, o time estava em alta sob a liderança do técnico Mike Ditka e venceu o Super Bowl de 1986 contra o New England Patriots. Alguns jogadores do Chicago Bears, como Mike Singletary, frequentavam a Willow Creek. O pai de Aimee achava o máximo que jogadores da NFL frequentassem sua igreja e que ele e outros membros pudessem orar por eles. "Sem dúvida, era uma forma de fazer os homens falarem de coisas de Deus", Aimee observou.

A essa altura, a Willow Creek estava no limiar da fama nacional. Com pouco ensino teológico formal, Hybels e sua equipe haviam formado uma igreja com vários milhares de pessoas que participavam dos cultos semanais e com uma equipe de mil funcionários e voluntários que produziam esses cultos.[12] As mensagens de Hybels eram um elemento essencial para esse sucesso. Ele falava de modo fluente, objetivo e, em geral, engraçado, outra coisa da qual o pai de Aimee gostava. A exemplo de Schuller, Graham e Moody, Hybels sabia cativar seus ouvintes com ensino claro e incisivo, que transmitia uma mensagem simples do evangelho. Em nossa entrevista, Barringer observou: "Ele é o melhor comunicador que conheço. É quase hipnótico. Suas ilustrações, seu estilo... Nunca ouvi alguém que falasse tão bem sobre liderança".

"Hipnótico" é um termo importante; uma pessoa que sabe usar bem as palavras exerce imenso poder sobre outros. Se essa pessoa ocupa um cargo de autoridade em que apresenta uma visão dinâmica da igreja para o século 20, suas palavras se tornam ainda mais importantes. Estar sob a autoridade de um orador dinâmico é, em certo sentido, ser enfeitiçado, ser persuadido e transformado, por vezes de formas dramáticas.

O poder de Hybels residia em sua pregação. "Ele é uma pessoa intensa movida a combustível de alta octanagem, como um avião, e se comunica de modo extremamente eficaz em sua pregação", escreveu o falecido estudioso de homilética Haddon Robinson. "Esse é o carisma de Bill."[13] Quase todos os domingos, Hybels pregava junto a um pequeno púlpito de acrílico transparente sobre o palco. Tratava de temas relevantes com mensagens simples e penetrantes. Depois do culto, descia pelo canto direito anterior do palco até uma área chamado "cercado". Ali, qualquer um podia ir conversar com ele. No alto do palco do auditório, Hybels poderia parecer distante e inacessível. Com certeza, não parecia um pastor que tinha tempo de oferecer cuidado individual. No entanto, o cercado resolvia esse problema, ou pelo menos oferecia a ilusão de resolvê-lo. Alguns minutos na presença de um visionário sábio e impressionante podiam mudar a vida de alguém.

Em *Liderança corajosa*, Hybels se lembra de pessoas da igreja que foram até o cercado para receber oração, cura e conselhos financeiros. Conta que um membro de longa data se aproximou, cutucou-o no peito e declarou: "Hybels, só me tiram daqui no meu caixão".[14] Hybels relata esse episódio para destacar que os líderes da igreja precisam projetar uma imagem tão cativante que líderes leigos dedicarão a vida a ela. Esse homem disse a Hybels, ainda que de modo um tanto exagerado, que queria *morrer* dentro da igreja. Hybels relatou essa fala como algo positivo, como algo que outros líderes deveriam querer ouvir das pessoas que eles lideram.

Claro que devoção e sacrifício são parte essencial da vida cristã. Jesus disse: "Se tentar se apegar à sua vida, a perderá. Mas, se abrir mão de sua vida por minha causa, a encontrará" (Mt 16.25). No entanto, quando o chamado ao sacrifício se dá em um contexto como o da Willow Creek, nem sempre fica claro se os membros estão sendo exortados a se sacrificar por Cristo ou pela igreja e seus programas. A lealdade a Cristo e a lealdade à visão do pastor fundador podem acabar se misturando. É especialmente o caso quando o pastor diz que sua visão é a visão de Cristo, que Deus lhe falou de modo direto o que a igreja deve fazer quanto a suas instalações, seus trabalhos evangelísticos ou suas finanças. Pode parecer que presbíteros ou líderes leigos que questionam essas decisões estão questionando Deus. E quem quer dar essa impressão? Ainda mais quando a visão do pastor/de Deus levou a crescimento enorme, almas salvas e comunidades transformadas, e quando outras igrejas consideram sua igreja a maior história de sucesso.

"Aplauso constante"

Em 1989, a Willow Creek já era, sem dúvida, uma história de sucesso. A essa altura, diz Nancy Beach, outras igrejas procuravam membros da equipe da Willow Creek para saber como haviam alcançado aquele patamar. Beach, que descreveu sua experiência na igreja em uma entrevista por telefone, frequentou Son City na adolescência e se tornou parte daquela primeira comunidade empolgante da Willow Creek que trazia à memória Atos 2.[15] Ela e o marido saíram da Willow Creek no início da década de 1980, depois que a igreja passou por um período de vários problemas morais de seus líderes e, em seguida, pelo conflito sobre o qual Hybels e sua esposa, Lynne, escreveriam posteriormente em seu livro de 1996,

Redescobrindo a igreja. Por insistência de Hybels, Beach voltou em 1984 como diretora de programação.

De acordo com ela, em 1990 a dinâmica de celebridade ao redor de Hybels e da igreja estava chegando ao ápice. A mídia nacional estava começando a falar da igreja que, tempos depois, adquiriu renome mundial. Hybels havia publicado seus primeiros livros, *Quem é você quando ninguém está olhando?* e *Ocupado demais para deixar de orar*, no final da década de 1980, estabelecendo uma plataforma pastoral nacional. Em 1992, Hybels e sua equipe deram início à Associação Willow Creek, uma organização separada, sem fins lucrativos, criada para treinar e capacitar pastores e líderes de igrejas a fim de obter crescimento dinâmico. Desde que declarasse "uma interpretação histórica e ortodoxa do cristianismo bíblico", qualquer igreja podia se tornar parte da associação mediante o pagamento de uma taxa anual de 249 dólares. Membros da AWC recebiam workshops, livros, séries de vídeo e boletins informativos. Como entidade legal separada, a AWC tinha seu próprio conselho de diretores e um funcionamento corporativo mais tradicional. Ali, Hybels interagia com a liderança executiva e os funcionários como fundador e CEO.[16]

Em 1995, Hybels lançou o Summit de Liderança Mundial. Ele apresentava a mensagem de abertura do congresso e, então, voltava para o palco com palestrantes convidados como Colin Powell, Condoleezza Rice, Bono, Bill Clinton, Tony Blair, Craig Groeschel e Steven Furtick. Os congressos reforçaram o perfil da igreja como "líder de líderes", uma história de sucesso que podia ser reproduzida no mundo inteiro.

"O congresso de liderança colocou Bill no palco da celebridade mundial", disse Barringer ao comentar sobre a transmissão global do evento e sobre as dezenas de milhares de pessoas que participavam todos os anos. "Havia aplauso constante." Ao longo dos anos, porém, ela começou a se sentir incomodada com o enfoque na liderança. Ela se lembra de pensar que nem todos são chamados para ser líderes, pelo menos não nos moldes de CEO que o congresso apregoava. Da perspectiva bíblica, outros dons, como encorajamento, discernimento e hospitalidade, eram igualmente importantes. Para Hybels, contudo, a AWC e o Summit pareciam ser suas grandes fontes de orgulho e alegria, que satisfaziam seu anseio por crescimento organizacional e visão lado a lado com líderes corporativos extremamente competentes. Por certo, a visão de Atos 2 da igreja que tinha dado início a sua carreira ministerial ainda era atraente. No entanto, administrar uma empresa para outras empresas que desejavam reproduzir *sua* história de sucesso se mostrou ainda mais inebriante.

Por trás de portas fechadas

Apesar de tudo o que poderíamos dizer sobre o comportamento de Bill Hybels por trás de portas fechadas — e poderíamos dizer um bocado de coisas, a começar por 2018 —, é difícil entender quem Hybels *era* nas décadas de 1990 e 2000. É verdade que ele relatou diversas experiências pessoais em seus mais de trinta livros, bem como em centenas de sermões e palestras. Falava de sua esposa e de seu casamento em livros e seminários e também falava de seus dois filhos. Sabíamos que a família morava em Michigan e gostava de atividades aquáticas. Hybels dizia que tinha assumido o compromisso de adotar um estilo de vida saudável depois de sofrer esgotamento em um período anterior do ministério. Em 1989, disse que prestava contas informalmente a três confidentes do sexo masculino, e no livro *Fit to Be Tied* [Apto para casar], do qual foi coautor, descreveu amigos que tinham espaço para tratar com ele de dinâmicas de seu casamento.[17]

Talvez o fato de haver muitas coisas sobre a vida pessoal de Bill Hybels que não sabemos seja algo bom. Se, contudo, celebridade é poder social sem proximidade, e se apenas em relacionamentos autênticos e próximos por trás de portas fechadas somos verdadeiramente vistos, conhecidos e amados, tornar-se cada vez mais importante e cada vez mais *desconhecido* é um sinal de alerta para qualquer pastor titular e sua igreja.

Entre outras coisas, muitos membros da Willow Creek nunca viam Hybels e, muito menos, falavam com ele. Barringer se lembra de ter visto Hybels no saguão certa vez e pensado: "Uau! É o Bill Hybels". Foi como ver Steve Jobs no corredor da sede da Apple, ou ver Oprah Winfrey em um corredor da Harpo Productions. Barringer comentou que, posteriormente, pegou uma fila para conhecê-lo. Havia seguranças presentes. "Lembro-me de ser dispensada rapidamente", disse ela. "Deu a impressão de que ele era alguém extremamente importante e que muita gente queria conhecê-lo."

De acordo com Barringer e com uma pessoa da equipe da igreja que exerceu diferentes cargos ali entre 2007 e 2017, Hybels não entrava na Willow Creek pelas portas principais. Tinha uma entrada à parte para seu carro e uma porta privativa. Também tinha dois escritórios, um deles privativo, em que recebia outros pastores e líderes. Não caminhava pela igreja sem um segurança ao seu lado. E passava a maior parte do tempo em outros lugares, usando o jatinho da AWC para ir de Chicago à casa de praia em Michigan. A certa altura, Hybels comprou um barco — não se sabe se era oficialmente um iate um simplesmente um barco grande — que ele usava para receber amigos e colegas de ministério.

Sem entrar na questão do quanto é apropriado um pastor ter um iate (uma questão importante!), nenhuma das práticas acima pode ser considerada algo que o desqualificasse de imediato. É possível argumentar que, tendo em conta a visibilidade dos pastores de igrejas grandes, medidas especiais de segurança são necessárias. Também se pode dizer que precisam de espaços privativos para conversas sobre assuntos delicados. É possível argumentar, ainda, que esses pastores merecem remuneração adequada por sua carga intensa de trabalho. A forma como gastam seu dinheiro, seja em barcos enormes, tênis de grife ou equipamento de pesca, é problema deles.

Quando considerados em conjunto, porém, os pedidos de privacidade e privilégios podem se transformar facilmente em exigências de *sigilo*. A privacidade respeita o fato de que todos os líderes de ministérios precisam de elementos de sua vida que permaneçam longe dos holofotes. Até mesmo Jesus se retirou para estar a sós com Deus. O sábado e o descanso são essenciais para todos os líderes, especialmente porque seus colegas precisam ver que o ministério não depende dele.

O sigilo, pelo contrário, cria uma divisão entre a figura privada e a pública, em que a figura privada pode praticar com impunidade coisas que a figura pública não poderia. A privacidade diz que, se amigos, familiares ou presbíteros descobrissem o que o pastor faz em sua vida privada, não ficariam surpresos nem preocupados. O sigilo, pelo contrário, certifica-se de que ninguém jamais fique sabendo.

Um fato que se tornaria relevante mais tarde era que Hybels usava um servidor privado de e-mail. De acordo com ele, fazia isso porque tinha conversas com pessoas importantes sobre assuntos que exigiam discrição. "Tenho contato com milhares de pastores", Hybels explicou posteriormente.

"E muitas pessoas querem conversar comigo sobre assuntos *extremamente* pessoais."[18] Ninguém teve como descobrir, porém, se era verdade. Quando as alegações de conduta sexual indevida vieram a público, foram encontrados mais de 1.100 e-mails entre Hybels e uma mulher. No entanto, ninguém conseguiu lê-los. Haviam sido apagados ou destruídos como parte de um "acordo especial" que Hybels tinha com o departamento de TI.[19]

Teoricamente, cabia ao conselho de presbíteros da igreja questionar Hybels sobre essas e outras práticas. Em 1979, depois do período de problemas morais que quase fizeram naufragar a igreja recém-formada, foi formado um conselho de presbíteros. Era um grupo de voluntários que ajudava a administrar a igreja e ao qual Hybels se reportava. Em 2009, o conselho passou a exercer "governança de políticas" da igreja, com menor envolvimento. Havia também um conselho diretivo e uma equipe administrativa e, a partir de 1992, um conselho e uma equipe de líderes à parte para a AWC.

No papel, todas essas pessoas talentosas, dedicadas ao reino, deviam exigir que Hybels lhes prestasse contas. Aliás, uma pluralidade de líderes e de divisões de poder ocupa o cerne da visão neotestamentária da igreja. A Bíblia prescreve presbíteros, bispos e diáconos como líderes com funções distintas de supervisão. Diferentes líderes em diferentes níveis contribuem com uma pluralidade de perspectivas e dons e, idealmente, impedem uma hierarquia com poder excessivo no topo, aquilo que pode ser chamado de modelo "o pastor e sua equipe", com uma pessoa no alto da pirâmide.[20]

Em uma megaigreja em que o pastor é o visionário, o fundador e o CEO, é difícil saber exatamente quanto poder os presbíteros têm. Como Nancy Beach comentou comigo:

> Bill é, via de regra, a pessoa mais inteligente entre os presentes. Precisamos de gente que possa confrontar esses líderes grandiosos. [...] Conversávamos com frequência sobre prestação de contas. Esse não era um conceito estranho a nós, como também não era apenas uma expressão. Mas quem, eu me perguntava, confrontaria Bill? Ele é inteligente e articulado. [...] O conselho ou os presbíteros pedem contas dessas pessoas, mas como esse sistema opera na realidade?

Em outras palavras, a estrutura de presbiterato nem sempre é páreo para a força do carisma de um líder. Um conselho de presbíteros pode dar a *impressão* de prestação de contas quando, na prática, simplesmente coloca um selo de aprovação sobre os objetivos do líder. É o que acontece em conselhos ineficazes de empresas. Conselhos de igreja, porém, enfrentam um obstáculo adicional. "O pastor exerce o papel de pai espiritual", observou Beach. "Como assumir a responsabilidade de pedir contas de um pai espiritual?" Se o conselho de presbíteros da Willow Creek era constituído de membros extremamente dedicados à igreja, é muito provável que também fossem extremamente dedicados a Hybels. É fácil colocar em um pedestal a pessoa que o levou a Cristo ou que mudou sua vida de alguma outra forma. É difícil tirar essa pessoa do pedestal quando sua fé e sua percepção de propósito estão atreladas à continuidade do sucesso dela.

Posteriormente, foi relatado que o conselho da igreja não havia tratado devidamente de alegações preocupantes feitas contra Hybels já em 2014, pois ele era a celebridade *deles*. O "Relatório de Governança da Willow Creek", publicado em abril de 2019, constatou que "o pastor titular era, para muitos, uma figura grandiosa. A maior parte dos membros do conselho o tratava com deferência. Essa dinâmica dificultava que os presbíteros o questionassem quando se reuniam. [...] Tinham a impressão de que estavam em reunião com uma celebridade".[21]

Esse documento também traz a observação de que as avaliações de desempenho realizadas pelo conselho não davam certo, pois Hybels se tornava extremamente defensivo e "nenhum presbítero diria que o pastor sênior se submetia voluntariamente à autoridade do conselho de forma relevante".[22] O relatório de governança elencou a cultura de medo, o comportamento controlador e a capitulação do conselho como motivos pelos quais era impossível refrear Hybels.

"Luz refratada"

"Bill sempre tem razão." Esse era um provérbio entre os líderes e funcionários da Willow Creek. Com o tempo, haviam descoberto que não valia a pena discordar dele. Outra expressão, confirmada pelo relatório de governança, era: "O temor de Bill". Em parte, era esse temor que impedia os presbíteros do conselho de se opor a ele.

Tudo indica que a raiva era um problema para Hybels. A raiva diz respeito a controle — a necessidade de controle e o medo de perdê-lo — e, sem dúvida, Hybels parecia precisar dele. Seus acessos de raiva controlavam o comportamento de outros. Um ex-funcionário com o qual conversei se recordou de observar os ensaios do louvor. "Ele gritava com as pessoas e as fazia chorar" quando algo o desagradava. "Tinha pleno controle, e isso se aplicava a todas as áreas da vida na Willow Creek."

De acordo com outro provérbio, se você provocasse a ira de Bill, teria de presenteá-lo com uma garrafa de vinho. Um ex-funcionário com o qual conversei disse que, certa vez, uma pessoa do departamento de comunicação entregou um documento com um erro de digitação, o que irritou Hybels. O ex-pastor Heather Larson disse a essa funcionária que ela devia comprar uma garrafa de vinho para Hybels a fim de fazer as pazes. Ele tinha uma coleção e tanto de garrafas de excelentes vinhos no escritório.

Se o modelo de megaigreja depende de pastores-celebridades, é bem possível que também dependa de pastores dominadores e narcisistas. A pessoa precisa ter alguma medida de presunção, afinal, para se imaginar capaz de reinventar a igreja, construir da estaca zero uma congregação com crescimento explosivo e, então, dizer a seus membros: "Viajei pelo mundo todo e esta é a melhor igreja do mundo", como Barringer relata que Hybels costumava declarar. As mesmas características que o impeliram a criar a megaigreja mais influente dos últimos cinquenta anos também intimidavam seus colegas e subordinados. São as mesmas características que o levaram a bater na mesa com o punho cerrado quando foi confrontado com alegações críveis de conduta indevida.

Seríamos míopes se atribuíssemos os problemas da Willow Creek somente à dificuldade de seu pastor de lidar com a raiva. As histórias de fracassos morais de pastores são, evidentemente, histórias de pecados individuais: raiva, abuso de poder, sigilo e rendição a tentações. Seríamos negligentes, porém, se não considerássemos a história da Willow Creek uma oportunidade de refletir sobre onde *nós* temos errado. Em que aspectos contribuímos, muitas vezes sem perceber, para o problema de pastores-celebridades?

No fim das contas, o conselho da Willow Creek não foi capaz de responsabilizar Hybels, apesar de alegações confiáveis de conduta sexual indevida durante décadas. Por um tempo, os membros do conselho *não quiseram* investigar essas alegações. Posteriormente, autorizaram uma investigação interna e duas investigações externas que, uma vez concluídas, eles consideraram falhas. Depois que as alegações se tornaram públicas em 2018, os presbíteros, pastores e vários membros leigos defenderam Hybels, que chamou as alegações de "mentiras cabais" e afirmou que outros líderes estavam conspirando contra ele.[23] Em posteriores "reuniões de família", os principais líderes repetiram a narrativa de que as vítimas de Hybels estavam mentindo ou se vingando dele. Só depois os presbíteros e outros líderes pediram perdão às vítimas. Por fim, todos pediram demissão.

Celebridades não existiriam sem nós. Elas dependem de nossa atenção e devoção. Nós as consideramos modelos que desejamos imitar. Quando estamos perto delas, sentimo-nos especiais e importantes. Alimentamos seu ego, e elas alimentam o nosso. Quando um pastor-celebridade nos convida para participar de sua missão de transformar o mundo para Jesus, ficamos empolgados por termos sido escolhidos para a grandeza. As celebridades realizam nosso desejo de nos tornar pessoas importantes para Jesus.

"As pessoas ao redor do líder recebem 'luz refratada' da celebridade central", diz Beach, referindo-se a um conceito de Diane Langberg, psicóloga clínica e especialista em trauma. Em outras palavras, a afiliação profissional e a relação com a marca da celebridade também transformam as pessoas de seu círculo mais próximo em celebridades. Beach reconhece que ela recebeu projeção como especialista em liderança, em parte, graças a sua ligação com a Willow Creek e com Hybels. O mesmo aconteceu com Barringer, cujo marido trabalhou para a AWC. Quando ela e o marido viajavam para o exterior a fim de participar de congressos da AWC, ela diz que recebiam tratamento especial, pois eram da Willow Creek.

Até mesmo aqueles que apenas frequentavam a Willow Creek devem ter recebido um pouco da luz refratada. Hybels foi colocado em um pedestal porque deu à comunidade da Willow Creek uma forte percepção de missão, propósito e satisfação espiritual. Quando ele incentivava a igreja a alcançar seu pleno potencial porque ela era "a esperança do mundo", podemos imaginar que era difícil resistir a essa visão. Ao tornar Hybels importante, a comunidade da Willow Creek também se tornou importante.

Pouco tempo atrás, Aimee conversou com a filha sobre as acusações feitas contra Hybels e sua aposentadoria precoce. Aimee ficou angustiada com as alegações. A reportagem do *New York Times* que detalhava como Hybels havia repetidas vezes passado a mão em sua ex-assistente executiva a deixou especialmente aflita. Quando a filha de Aimee lhe perguntou por que ela estava chorando, Aimee respondeu: "Uma pessoa que eu costumava respeitar fez uma péssima escolha". E sua filha disse: "Por que essas coisas sempre acontecem?".

Quando coloquei nas redes sociais a primeira matéria da *Christianity Today* sobre as alegações contra Hybels, recebi um comentário de um conhecido. Ele acusou a *CT* de apresentar uma reportagem distorcida; para ele, a única coisa que importava era que tinha se tornado cristão graças a Hybels. Seu comentário mostrou como é doloroso lidar com a pergunta: Como alguém que ministrou a você de forma tão positiva pôde fazer mal a tantos outros? Para tratar da dissonância cognitiva, alguns rejeitam completamente os fatos, como fez esse conhecido: as alegações são falsas, as acusadoras estão mentindo. Outros passam a ver o líder como um misto de elementos e reavaliam seriamente sua experiência à luz da verdade mais completa. Ainda outros têm dificuldade de separar o evangelho do líder carismático e questionam toda a estrutura de fé que o líder representava para eles. Esse é, possivelmente, o aspecto mais revelador e preocupante de formar igrejas que giram em torno de um pastor-celebridade: se nossa fé em Cristo é centrada em um só indivíduo poderoso, quando ele cai, nós caímos também.

PARTE 2

TRÊS TENTAÇÕES

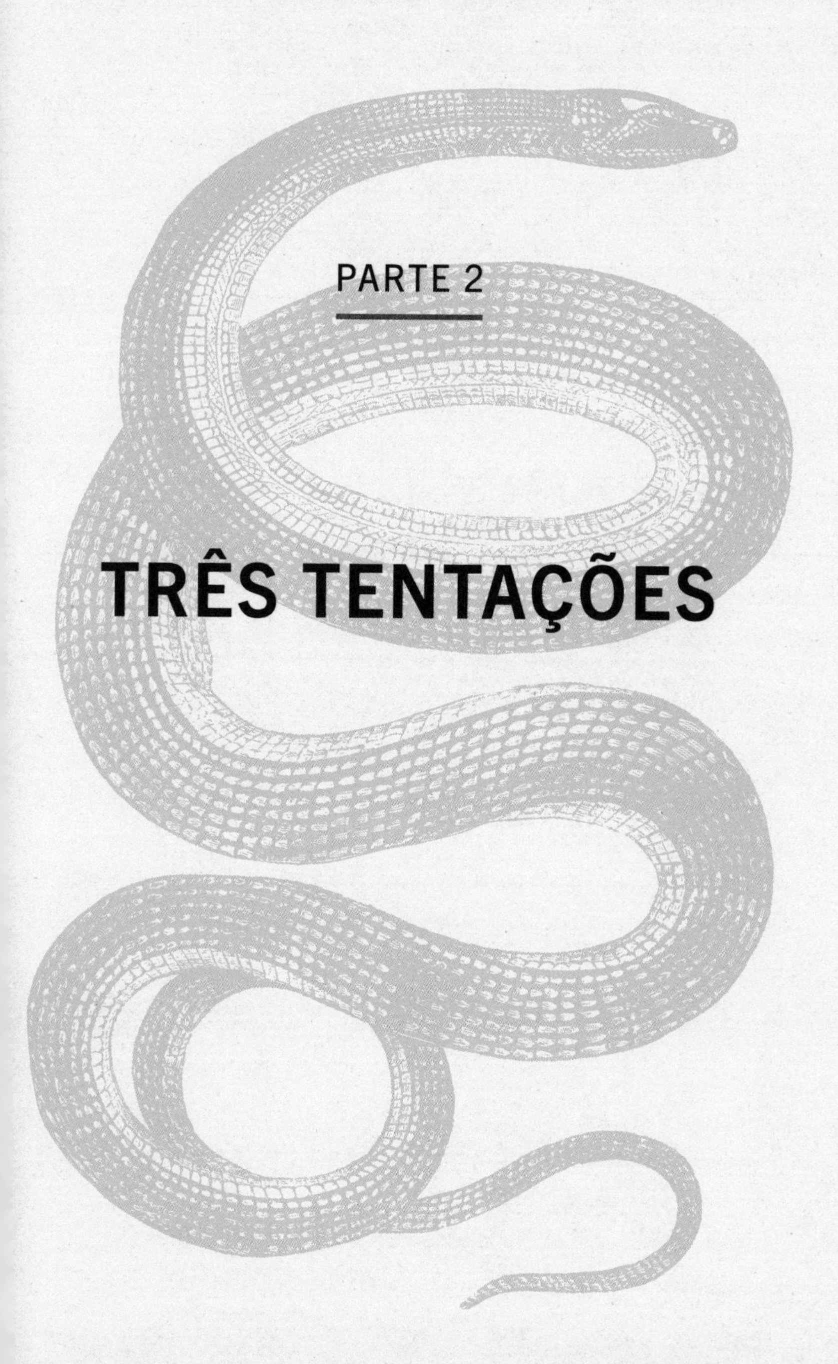

4
Abuso de poder

Quando Ravi Zacharias faleceu em 2020, inúmeras homenagens expressaram gratidão ao conhecido apologista por seu ministério. Nascido em Chennai, na Índia, Zacharias havia fundado e coordenado o maior ministério de apologética do mundo, a organização Ministérios Internacionais Ravi Zacharias (MIRZ), com sede em Alpharetta, Geórgia. Zacharias tinha credenciais acadêmicas impressionantes e havia escrito mais de trinta livros e viajado por todo o mundo com o objetivo de mostrar a credibilidade intelectual do cristianismo.

"Um de meus heróis da fé é um homem chamado Ravi Zacharias. [...] Sou grato por Ravi, por sua vida e por nossa amizade", disse o jogador da NFL Tim Tebow.[1] "Ravi era um homem de fé que sabia 'manejar corretamente a palavra da verdade', como poucos em sua época, e era meu amigo", disse Mike Pence, então vice-presidente dos Estados Unidos, que o comparou a Billy Graham e C. S. Lewis.[2] Franklin Graham, Jackie Hill Perry e Paula Faris postaram no Instagram fotos em que aparecem ao lado do apologista. Não foram apenas os famosos que homenagearam essa celebridade falecida; pessoas cuja fé havia sido aguçada por Zacharias expressaram gratidão por seu trabalho supostamente realizado com excelência. No Twitter, a *hashtag* #ThankYouRavi obteve 2,3 bilhões de impressões.[3]

Quando eu soube de seu falecimento, devo reconhecer que meus sentimentos foram mais matizados. Lembrei-me das palestras de Zacharias que ouvi quando estava na faculdade. Na época, eu o admirava por ser capaz de confrontar ateístas e "elites" hostis à fé cristã. Seu posicionamento me fazia crer que eu também podia ser inteligente e fiel. Sabia que muitas pessoas diziam que tinham vindo a Cristo por causa de suas mensagens.

Também me lembrei, porém, de minha conversa com a apologista na Inglaterra que trabalhava para o ministério de Zacharias. Pensei na informação que a *Christianity Today* havia recebido, de que Ravi tinha sido visto em um hotel no exterior com uma mulher que não era funcionária de sua organização nem membro de sua família. Lembrei-me, ainda, de uma alegação mais recente de uma mulher canadense segundo a qual Zacharias havia usado seu cargo importante para assediá-la sexualmente. Perguntei-me o que havia sido feito da informação que a *CT* havia recebido e dessa história mais recente e qual era a verdade em ambos os casos.

Se você está lendo este livro, é bem provável que saiba a resposta. Cinco meses depois do falecimento de Zacharias, a *CT* publicou a reportagem: três mulheres que trabalhavam em *day spas* locais dos quais Zacharias era sócio fizeram declarações oficiais de que ele havia cometido exibicionismo, agarrado essas mulheres e, em um caso, insistido que fizesse sexo com ele.[4] A princípio, a MIRZ negou as alegações e, depois, contratou advogados para investigá-las. Em fevereiro de 2021, a MIRZ publicou um relatório que confirmava os indícios de que Zacharias havia abusado de mulheres em vários *day spas*. Os advogados também encontraram indícios de abuso na Tailândia, Índia e Malásia. O relatório exonerou Lori Anne Thompson, a mulher canadense que Zacharias havia convencido a lhe enviar imagens sexuais e, depois, acusado falsamente de extorsão. Aliás, a investigação descobriu que Zacharias havia pedido centenas de fotos de mulheres até poucos meses antes de seu falecimento.[5]

Algumas das vítimas de Zacharias disseram que a celebridade dele as fez hesitar em denunciá-lo. "Era um evangelista de renome internacional que estava agindo de forma inapropriada, e eu fiquei sem saber o que fazer", disse uma mulher. Ela observou, ainda, que alguns dos livros dele eram vendidos nos *day spas*. "Ele não era apenas o chefe da empresa. Não era apenas o CEO. Era um líder cristão."[6]

Para dizer a verdade, eu mesma refleti se, como jornalista e editora, havia demorado para investigar a verdade. Como editora da *CT*, talvez houvesse me apressado em pressupor a idoneidade de Zacharias, não porque eu o *conhecesse* ou soubesse como era sua vida de modo geral, mas porque ele parecia ser excelente exemplo de líder cristão, cujo ministério havia ajudado muitas pessoas.

A história de Zacharias é problemática em vários níveis. Como alguém que pregava o evangelho publicamente foi capaz de fazer tanto mal por trás de portas fechadas? Como ele conseguiu esconder esse comportamento predador de tantos colegas e mantenedores? E quantas pessoas hoje questionam a credibilidade de sua mensagem em razão da queda vergonhosa do homem que a professava? Infelizmente, essa não é uma história singular. Nos últimos anos, as manchetes mostraram como o poder da celebridade é capaz de corromper e de isentar abusadores da responsabilidade por seus atos. Harvey Weinstein, Bill Cosby, Jeffrey Epstein e muitos outros homens famosos usaram sua celebridade (e a grande riqueza e prestígio que a acompanhavam) para se aproximar de pessoas, coagi-las e silenciá-las. Em muitas ocasiões, essas celebridades dependeram de outros poderosos que lhes deram apoio ou que fizeram vistas grossas para alegações preocupantes. Seus pecados foram ímpares, mas também foram sistêmicos, cometidos dentro de uma rede formada por indivíduos que se beneficiaram do fato de pertencer ao círculo mais próximo da celebridade.

No capítulo 2, tratamos da celebridade nos meios evangélicos e dos motivos pelos quais o movimento de Moody, Sunday e Graham tem a tendência singular de criar e definir a si mesmo por meio de líderes famosos, em oposição a instituições. No capítulo 3, examinamos o fenômeno das megaigrejas e o motivo pelo qual igrejas grandes como a Willow Creek alimentam com tanta frequência o problema do pastor-celebridade. Esses dois capítulos tiveram por objetivo fornecer contexto histórico: Como a igreja americana chegou a esse ponto? No presente capítulo, veremos os custos da celebridade e por que e como o poder da celebridade corrompe. É um capítulo sombrio, que detalha a ligação entre celebridade e abuso e maus-tratos de outros portadores da imagem divina. Mas, para domar essa fera chamada celebridade, temos de saber com que tipo de animal estamos lidando. E, para curar as feridas do abuso, temos de examinar quão profundas elas são.

Uma teologia de poder

Dinheiro, sexo e poder são a trindade das tentações desde tempos remotos. São poucos os recursos, porém, para entender o que é o poder e como ele opera. Finanças pessoais e integridade sexual são temas comuns de livros e sermões cristãos. Em contrapartida, ensina-se e escreve-se pouco sobre o poder e seus efeitos.[7]

Andy Crouch preencheu uma parte expressiva da lacuna sobre o assunto. A exemplo de dinheiro e sexo, o poder não é inerentemente mau. Aliás, como Crouch escreve, é "uma dádiva, uma dádiva do Doador que constitui o modelo supremo de poder usado para abençoar e servir". Crouch prossegue:

> O poder não é concedido para beneficiar aqueles que o detêm. É concedido para o desenvolvimento de indivíduos, de povos e do próprio universo. O uso correto de poder é especialmente importante para o desenvolvimento dos vulneráveis, dos membros da família humana que mais precisam que outros usem bem o poder a fim de que os vulneráveis possam sobreviver e prosperar: os jovens, os idosos, os enfermos e os desvalidos.[8]

Poder é a capacidade humana inata de administrar o mundo a fim de glorificar a Deus e abençoar a criação e outros portadores da imagem divina. Era propósito original de Deus que todos os seres humanos exercessem poder como extensão do fato de que são portadores da imagem de Deus. E, quer fosse propósito de Deus quer fosse apenas decorrência de como os seres humanos organizaram sociedades e culturas desde o começo dos tempos, algumas pessoas têm mais poder que outras. Contudo, a marca do poder devidamente usado é que os poderosos possibilitam o desenvolvimento de todos ao redor. As pessoas confiadas a seus cuidados prosperam material, espiritual e relacionalmente e são, elas próprias, capacitadas para empregar seu poder para o bem de outros.

Aqueles que vieram de uma comunidade em que o poder era devidamente usado — por líderes saudáveis, sensatos e humildes — sabem que é possível o poder ser algo bom. Foi o que vivenciei em uma igreja na região de Chicago quando era jovem. Por certo, o ministro tinha mais poder que nós. Era formalmente educado para pregar e liderar de formas que nós não éramos. O diferencial de poder era evidente e era simbolizado pelas vestimentas que ele usava a cada semana. E, no entanto, ele era um pastor ao qual havia sido confiado o cuidado do rebanho, uma vocação que ele exercia com seriedade e sobriedade. Ele permanecia ligado a Cristo por meio das disciplinas espirituais. Era acessível aos membros da igreja que o procuravam para pedir oração e direção. Prestava contas ao conselho paroquial, a um bispo e a outros líderes. Ele e a esposa zelavam por mim como se eu fosse filha deles. Nós lhe concedíamos poder de bom grado, pois ele o usava muito bem. E nós sentíamos seus efeitos benéficos.

De modo contrastante, se você já fez parte de uma comunidade em que o poder era indevidamente usado, conhece seus efeitos devastadores. Talvez você carregue essa devastação dentro de si. Quando o poder se torna um ídolo — quando promete aos poderosos que serão como Deus, mas sem Deus —, aqueles que o exercem não procuram abençoar, mas, sim, dominar. Tomam para si aquilo que não lhes pertence, exploram, esmagam, derrotam, manipulam, ridicularizam e silenciam. Na presença deles, outros se sentem desinvestidos de poder. E é por isso que o poder tem péssima reputação. Afinal de contas, essa descrição não parece ser a história mais velha do mundo?

Foi sobre esse tipo de poder que Jesus advertiu: "Vocês sabem que os governantes deste mundo têm poder sobre o povo, e que os oficiais exercem autoridade sobre os súditos" (Mt 20.25). O termo-chave é "sobre". Jesus descreve um poder que procura exercer autoridade *sobre* outros, em vez de fazê-lo *em favor* de outros. Esse domínio dá a ideia de tirania. Você já trabalhou para um tirano? São pessoas ríspidas, descontroladas e, verdade seja dita, assustadoras. Em vez de nos capacitar, seu estilo de liderança faz com que nos sintamos incapazes. Esse é o objetivo; querem que estremeçamos pelo menos um pouquinho com o poder que exercem sobre nós.

Não é esse tipo de poder que os discípulos de Jesus devem procurar. Jesus disse: "Entre vocês, porém, será diferente. Quem quiser ser o líder entre vocês, que seja o servo, e quem quiser ser o primeiro entre vocês, que se torne escravo" (Mt 20.26-27). E os discípulos devem ter pensado: *Que coisa mais chata*. Não era exatamente a vida gloriosa que haviam imaginado, ou que nós imaginamos. Jesus diz que, para subir, é preciso descer. É o oposto daquilo que nosso coração, que tanto gosta de criar ídolos, deseja.

A inversão por Jesus do poder mundano está presente em todos os seus ensinamentos. Ao morrer na cruz, ele demonstrou esses ensinamentos na prática. Aqueles que exercem poder de forma piedosa se dispõem a abrir mão dele como Jesus fez. Sabem que seu poder é provisório, vindo de Deus, feito para ser distribuído, e não acumulado.

Eis algumas características fundamentais do poder devidamente usado em nossos dias por pessoas que procuram servir a outros como Jesus fez:

> O servo é alguém que tem consciência de sua pobreza espiritual (Mt 5.3) e exerce poder debaixo do controle de Deus (Mt 5.5) a fim de manter relacionamentos saudáveis. O líder com atitude de servo pede perdão por seus erros (Mt 5.4), demonstra misericórdia quando outros erram (Mt 5.7), promove a paz quando possível (Mt 5.9) e suporta críticas imerecidas enquanto procura servir a Deus (Mt 5.10) com integridade (Mt 5.8). Jesus definiu esse modelo por meio de suas ações em nosso favor (Mt 20.28). Mostramos que somos seguidores de Cristo ao seguir seu exemplo.[9]

Se nossos líderes alcançam apenas alguns desses alvos — humildade, misericórdia, paz e integridade —, somos gratos por tê-los em cargos de poder. Em última análise, é pela graça de Deus que qualquer um de nós consegue usar o poder como Jesus o usou. Digo isso não para minimizar nossa responsabilidade de manter o poder sob controle, mas para destacar o quanto ele é atraente e inebriante. (Se você não acredita em mim, leia *O Senhor dos Anéis*. E dê-se por feliz que não vou descrever aqui a trama na língua dos elfos.) Quando imaginamos que *nós* não seríamos seduzidos a abusar de nosso poder, corremos grande perigo.

Obviamente, poucos ingressam no ministério ou na liderança com a ideia de que se tornarão tiranos. Muitas vezes, tudo começa com motivações nobres. Alguém com dons evidentes e grande fervor deseja exercer impacto profundo em prol do reino. Adota publicamente o conceito de liderança como serviço a outros. Sujeita-se com sinceridade à prestação de contas exterior. Procura abençoar as pessoas em vez de exercer domínio sobre elas. No caso de muitos líderes que acabam abusando de seu poder, seus seguidores fazem uma retrospectiva e veem que o início da carreira desses líderes parecia algo puro. Os seguidores foram atraídos por uma visão de serviço ao reino, serviço do qual o líder dava bom exemplo.

A certa altura, porém, talvez o líder perceba como é ser a pessoa mais importante na sala. Nota que todos fazem silêncio quando ele chega. Prestam máxima atenção a tudo o que ele diz. É maravilhoso. Talvez seus seguidores e apoiadores lhe digam que ele tem dons especiais e indispensáveis e que Deus planejou grandes coisas no reino para ele e para seu ministério. Também é maravilhoso. Quando o líder é bom comunicador, capaz de cativar a multidão, é provável que seja convidado para dar palestras e lecionar em todo o país. Sua plataforma cresce. Deus parece estar expandindo seu âmbito de influência. Ele assina contratos para escrever livros. Mais uma vez, é maravilhoso. Pode exercer impacto em nível nacional e talvez até internacional. (Falaremos mais sobre as promessas e as armadilhas do mercado editorial cristão no capítulo 5.)

A certa altura, é possível que o líder comece a gostar de tudo o que acompanha o sucesso: belos jantares, voos em primeira classe, estadias em resorts, acesso a áreas VIP, oportunidade de ter contato com outros líderes eminentes. E ele começa a acreditar que essas coisas todas não são um presente, mas, sim, algo merecido. Tem direito de ser tratado como VIP, pois, obviamente, é alguém importante. Começa a interagir com as pessoas ao seu redor como se elas tivessem menos importância e se torna hostil com qualquer um que questione sua relevância ou defina limites para seu poder ou seus gastos.

Além disso, veja os resultados incríveis de seu ministério.

Habilidade verbal

Ao que parece, foi assim que tudo começou na Igreja Mars Hill. Em 2021, o conhecido podcast *Ascensão e queda de Mars Hill* destacou os efeitos arrasadores do poder tóxico na megaigreja em Seattle, talvez mais arrasadores ainda porque as coisas eram tão diferentes no início.[10]

Wendy Alsup e sua família começaram a participar da igreja em 2002. Ela se sentiu atraída pela visão de alcançar pessoas céticas em relação à igreja e que viviam às margens da cultura de classe média respeitável. Na opinião de Alsup, a pregação de Mark Driscoll tinha forte impacto, embora fosse transmitida em tom um tanto grosseiro de bravata. O importante era que funcionava; pessoas aceitavam a Cristo, eram batizadas e se tornavam membros. "Tinha uma porção de gente que havia crescido em famílias hippies ateístas", Alsup me disse em uma entrevista por telefone. "Eu queria ver o evangelho ganhar terreno. E, de uma forma fantástica e doida, era o que estava acontecendo."[11]

No podcast, Alsup relata uma ocasião em que Driscoll e sua esposa, Grace, a hospedaram na casa deles quando ela passou por uma crise familiar. Alsup entendeu esse gesto como sinal de verdadeira hospitalidade e cuidado pastoral. Por certo, também era possível detectar os primeiros sinais de raiva, vulgaridade e machismo ostensivo. Durante anos, Driscoll havia postado no fórum virtual da igreja sob o pseudônimo "William Wallace II" e hostilizado membros de Mars Hills por não serem fortes ou másculos. Em vez de pastorear o rebanho, ele escolheu *trollar* suas ovelhas.[12] No entanto, Alsup comentou comigo na entrevista que Driscoll havia se arrependido da fase William Wallace e, a seu ver, o arrependimento parecia ter sido sincero.

Driscoll se viu sob os holofotes da mídia nacional logo no início de seu ministério, quando ele próprio reconheceu que era um sujeito imaturo de 20 e poucos anos. Em 1997, depois de falar no congresso anual da organização Leadership Network, a revista *Mother Jones* publicou uma reportagem a seu respeito e a rádio NPR o entrevistou. No ano seguinte, ele foi um dos fundadores da rede de plantação de igrejas Atos 29, em parte porque outros pastores desejavam imitar o sucesso da Mars Hill. Desde o início, a Atos 29 girava em torno de seu "estilo direto de comunicação" e de sua "personalidade carismática". O jeito impetuoso de Driscoll "fazia parte de seu magnetismo".[13] As estruturas dessa rede eram informais; como observamos no capítulo 2, em geral evangélicos são mais fortemente motivados por indivíduos carismáticos do que por credos e vínculos denominacionais, tendendo a centrar seus ministérios em líderes carismáticos (brancos e do sexo masculino). Portanto, a Atos 29 costumava atrair e produzir "jovens valentões" que imitavam o modelo de pregação e a imagem de Driscoll. Em 2006, a rede abarcava 50 igrejas e, em 2011, 410 igrejas.[14]

Driscoll era a jovem estrela do universo de plantação de igrejas. Em seus primeiros livros, publicados pelas editoras Zondervan e Crossway, ele apresentava relatos sobre a Mars Hill. Houve um bocado de controvérsia sobre seus comentários a respeito de assuntos como papel das mulheres, masturbação, homens "fracos", pornografia, strip-tease, islamismo, liberais e o traseiro de sua esposa. Ainda assim, ele recebeu aprovação de ministérios nacionais como Desiring God e The Gospel Coalition. Apesar da imaturidade de Driscoll, ele era aceito porque tinha uma doutrina reformada correta e porque a Mars Hill estava crescendo rapidamente. Por certo, ele amadureceria com o tempo e com a devida orientação de pastores e teólogos experientes. Além do mais, as controvérsias pareciam amplificar sua celebridade, como se toda atenção fosse atenção positiva. De acordo com parte do raciocínio por trás dessa atitude, o evangelho em si era ofensivo; nada mais natural, portanto, do que provocar reações fortes em uma cultura pós-cristã. Verdade, mas nem tudo o que ofende é evangelho, e provocar reações fortes não é prova de liderança piedosa.

Na Mars Hills havia sinais de que Driscoll estava perdendo contato com seu chamado para liderar a igreja e pastorear seus membros. De acordo com um ex-funcionário da Mars Hill que concordou em conversar comigo desde que permanecesse anônimo, Driscoll afirmou que desejava se tornar o "Pastor da América", como Billy Graham. "Ele amava essa imagem de Billy Graham, porque Graham era evangelista e ensinava a Bíblia, e todos o conheciam, e presidentes conversavam com ele." Como Graham, a ambição de Driscoll era construir uma plataforma nacional.

"Chegamos à encruzilhada no dia em que Mark decidiu transmitir vídeos dele mesmo", Alsup relatou. A essa altura, Mars Hill tinha várias igrejas, cada uma com seu próprio pastor. Em vez de deixar que os outros pastores pregassem em suas respectivas igrejas, porém, Driscoll queria que sua imagem e sua voz fossem projetadas em todas as igrejas como o evento principal. "Começaram a centralizar o ensino [de Mark] e o próprio Mark", disse Alsup. "O objetivo não era discipular e fortalecer outros líderes. Acreditavam que Mark era a razão de as pessoas irem à igreja." Posteriormente, em uma reunião infame em 2012, Driscoll declarou para a equipe: "Eu sou a marca".[15]

A essa altura, quase todos sabiam que Driscoll tinha acessos de raiva, e não eram poucos. Perdia as estribeiras com homens que, a seu ver, não viviam de acordo com a masculinidade bíblica. Brincava que trataria "conforme o Antigo Testamento" quem o contrariasse. No entanto, os presbíteros da Mars Hill e outros líderes sabiam que sua ira não era brincadeira. A fúria verbal de Driscoll era derramada sobre qualquer um que ousasse discordar de sua visão ou limitar sua autoridade. O poder da celebridade diz às celebridades que elas podem fazer qualquer coisa, mesmo que seja algo maldoso, de mau gosto ou impróprio, e que outros darão de ombros porque as celebridades são importantes ou influentes demais para receber correção.

A ira é uma emoção normal, que varia de intensidade desde uma ligeira irritação até a fúria. Ficamos irados quando percebemos uma ofensa contra Deus, nós mesmos ou outros. Jesus se irou quando viu o templo de Deus ser profanado para alimentar cobiça e injustiça (Jo 2.13-18). Jesus "fez um chicote de cordas e os expulsou a todos do templo" (v. 15). Cara, o Filho de Deus tinha um chicote! (Não é coincidência que Driscoll tenha aproveitado o uso da violência por Jesus para destacar que "Jesus não é um maricas, nem é pacifista. Tem pavio longo, mas o furor de sua ira continua a arder". Não estamos falando de um Salvador efeminado e politicamente correto.[16])

A ira de Jesus era justa; a nossa, com frequência, nem tanto. O Novo Testamento diz que hostilidade, inimizade, "acessos de raiva", dissensões, fúria e maldade são inaceitáveis para os cristãos. Diz que o líder da igreja "não deve viver brigando, mas ser amável com todos, apto a ensinar e paciente" (2Tm 2.24). Líderes espirituais precisam ter mansidão e domínio próprio. No entanto, quando o modelo de masculinidade é mais John Wayne do que Jesus, pastores como Mark Driscoll muitas vezes confundem liderança arrojada com cafajestagem.[17]

A ira pecaminosa muitas vezes produz violência verbal, o uso de palavras hostis cujo propósito é ferir ou inspirar medo. No caso de Driscoll e de outros líderes dominadores, como o ex-pastor da Capela Bíblica Harvest James MacDonald e o guru das finanças Dave Ramsay, a violência verbal é desencadeada quando são questionados, corrigidos ou responsabilizados por algo. (MacDonald foi demitido em 2019 depois que uma investigação realizada pela igreja descobriu que ele "insultava e humilhava outros e abusava deles verbalmente".[18] Em 2021 também foi relatado que Ramsey depreciava membros de sua equipe quando criticavam a cultura de seu local de trabalho para pessoas de fora.[19] Diz-se que, certa vez, ele sacou "uma pistola carregada de dentro de uma sacola de presente para ensinar [os funcionários] uma lição sobre fofoca".[20]) A ira muitas vezes revela apego ao poder mundano. A ira de uma pessoa mostra sua necessidade de controle e seu medo de perdê-lo. (Longe de mim falar novamente de *O Senhor dos Anéis*, mas você se recorda de como Gollum age quando está perto do anel?)

Em outubro de 2007, dois presbíteros da Mars Hill foram removidos de seus cargos porque levantaram objeções a mudanças na política de governança que consolidava o poder de Driscoll e de uns poucos líderes do alto escalão. No dia seguinte, em um acampamento de treinamento para plantadores de igreja, Driscoll disse:

> Tem uma pilha de cadáveres atrás do ônibus de Mars Hill [...] e, pela graça de Deus, ela terá se transformado em uma montanha quando terminarmos. Ou você embarca no ônibus ou é atropelado pelo ônibus. São essas as alternativas. Mas o ônibus não vai parar.[21]

Tantos anos depois, ainda é estarrecedor ouvir um pastor falar de atropelar pessoas como algo que Deus abençoará. A violência dessa imagem é repugnante e reveladora. Driscoll talvez acreditasse que estivesse promovendo unidade, mas "unidade" que nasce de atropelar aqueles que questionam suas decisões é apenas coerção. Em outro acampamento de treinamento, Driscoll descreveu um ex-presbítero como "um pum no elevador" e disse: "Se não fosse por Jesus, eu seria violento", como se já não houvesse cometido violência com suas palavras e sua conduta.[22]

A essa altura, aqueles que tinham sido atropelados pelo ônibus de Mars Hill estavam discutindo on-line suas experiências traumáticas. Driscoll não era apenas um jovem pregador espirituoso e politicamente incorreto; era um agressor. E, no entanto, continuava a receber elogios e aprovação moral de The Gospel Coalition, Desiring God, *Christianity Today* e outras organizações cristãs nacionais. Os líderes do alto escalão de Mars Hill permitiam essa hostilidade porque se beneficiavam da proximidade de seu poder ou porque tinham medo de se tornar o alvo seguinte.

Alsup relatou que, com o tempo, Driscoll e sua família ficaram cada vez mais isolados na igreja. Ele tinha estacionamento privativo e guarda-costas, chegava atrasado a reuniões e saía antes de terminarem. Alsup, diaconisa responsável por teologia e treinamento de mulheres desde 2004, recorda-se de tentar marcar uma reunião com Driscoll. Foi informada de que ele só teria espaço para ela na agenda mais de um mês depois. Pouco tempo após essa reunião, Alsup e sua família saíram da Mars Hill.

De acordo com Alsup, Driscoll disse à equipe da organização Atos 29 que Alsup e sua família haviam saído da igreja porque "Wendy era quem vestia as calças na família", ou seja, uma acusação falsa de que ela havia usurpado a liderança de seu marido. "E foi assim que ele acabou com minha confiabilidade", Alsup comentou comigo em referência a essa observação de Driscoll. Nos círculos complementaristas em que Alsup outrora havia tido oportunidade de dar palestras e escrever, foi difícil voltar a trabalhar. Mais uma vez, Driscoll usou sua língua indômita para ferir uma irmã em Cristo em vez de abençoá-la.

Alsup me contou que, ainda assim, beneficiou-se da luz refratada da celebridade de Driscoll; ele havia conseguido um contrato com a editora Crossway para seu primeiro livro. O mesmo aconteceu com várias pessoas do círculo mais próximo de

Driscoll. Ter a marca Mars Hill associada a seu nome abria portas para contratos com editoras e palestras e dava acesso a pastores e líderes de renome nacional. A ascensão e queda de Mars Hill não é apenas a história de um valentão narcisista cuja índole (e escândalos no mercado editorial, como veremos no capítulo 5) finalmente acarretou sérias consequências. Também é a história de centenas de pessoas que aprovaram sua hostilidade ou inventaram desculpas para ela, pois essas pessoas também foram pegas na teia atraente do poder da celebridade.

Quando, em 2014, Paul David Tripp, pastor e autor famoso por sua própria competência, pediu demissão do conselho deliberativo da Mars Hill depois de apenas oito meses no cargo, ele observou: "Esta é, sem dúvida, a cultura ministerial mais abusiva e coerciva na qual me vi inserido".[23] A palavra-chave aqui é "cultura", e não "líder". O poder tóxico da celebridade contamina — e envolve — toda a instituição.

Vida de luxo

Quando foi anunciado em 2020 que o pastor Carl Lentz havia sido demitido por "questões de liderança e quebra de confiança, além de uma revelação recente de problemas morais", a mídia fixou a atenção nos "problemas morais".[24] Lentz, entre outros pastores de megaigrejas vestidos com roupas de grife, dirigia a Hillsong de Nova York como se fosse um clube noturno. A igreja atraiu Selena Gomez, Chris Pratt, Katherine Schwarzenegger, a família Kardashian e Justin Bieber, para o qual Lentz foi como "um segundo pai".[25] No final de 2020, Lentz confessou que havia cometido adultério; posteriormente, líderes da Hillsong encontraram indícios de vários casos extraconjugais.[26]

A notícia da conduta sexual indevida de Lentz foi triste, ainda que não surpreendente. A impressão era de que Hillsong havia escolhido Lentz para ser uma celebridade entre as celebridades. A igreja tinha uma área VIP, para a qual artistas e atletas famosos eram conduzidos e de onde podiam assistir à programação de um ângulo privilegiado e depois conversar com Lentz nos bastidores.[27] Lentz não costumava interagir com membros "comuns". O fundador da Hillsong, Brian Houston (que, em 2021, foi acusado de supostamente acobertar abuso sexual de seu pai, hoje falecido), reconheceu que ele e outros líderes não fizeram o suficiente para que Lentz prestasse contas de seus atos, especialmente quanto a problemas de mentira e narcisismo que antecederam a infidelidade.[28]

A Hillsong também não impediu Lentz de correr atrás de uma vida de luxo; aliás, a megaigreja parecia incentivar esse estilo de vida como objetivo missional para atrair mais gente rica e famosa. Ex-funcionários relataram que Lentz e outros líderes do alto escalão tinham cartões corporativos que podiam usar para comprar o que desejassem. Esses cartões de crédito, pagos com dinheiro doado por membros e mantenedores, pagavam por refeições caras, quadriciclos e presentes especiais para pastores visitantes de renome, prática chamada pelo eufemismo espiritual de "honrar" outros. Enquanto isso, os mesmos funcionários relataram que recebiam salários abaixo da média ou, por vezes, nem eram pagos, embora fizessem hora extra para garantir o bom funcionamento da igreja.[29]

O poder da celebridade gera a mentira de que líderes-celebridades merecem coisas superiores porque são superiores, ou porque estão tentando alcançar com o evangelho pessoas com um estilo de vida luxuoso. Um elemento comum nas armadilhas do poder da celebridade é a riqueza ostentosa, obtida com recursos doados para o ministério, sem informar os mantenedores de como esse dinheiro é gasto. Muitas vezes, as pessoas que trabalham arduamente para manter o ministério funcionando recebem pouco, o que transgride o mandamento bíblico para que os trabalhadores tenham salários justos (Jr 22.13; Dt 24.15).

Dinheiro é assunto espinhoso para americanos, o que inclui os cristãos. Nossa cultura considera indelicado falar sobre salário durante uma conversa ao redor da mesa. Quanto mais dinheiro alguém tem, menos à vontade se sente para conversar sobre esse assunto, pois a riqueza é acompanhada de certo constrangimento em uma sociedade extremamente desigual como a nossa.[30] Mas, apesar de tudo o que a Bíblia diz sobre dinheiro (alguém calculou que são mais de dois mil versículos), lembro-me de ter ouvido apenas alguns sermões a esse respeito. É possível que pastores tenham medo de tratar desse assunto porque poderá ofender os membros, talvez especialmente os membros que mais contribuem financeiramente.

No entanto, como o poder, o dinheiro não é um problema em si. Devidamente usado, pode aliviar sofrimento, corrigir injustiças geracionais, estimular criatividade e beleza, educar a próxima geração e possibilitar o funcionamento da igreja.

Sei por experiência pessoal que dinheiro pode produzir coisas boas. Nasci em uma família de classe média que tinha uma combinação de generosidade e frugalidade típica do centro-oeste. Meus pais moram na mesma casa térrea de três quartos há quase trinta anos. Nunca tiveram um carro de luxo. Raramente vão a restaurantes. Contribuem financeiramente na igreja e fazem doações para organizações locais. Sem dúvida, de acordo com os padrões de grande parte do mundo, estão muito bem de vida. Como americanos brancos, eles e eu fomos beneficiados pela oportunidade criada pela riqueza geracional negada sistematicamente a americanos negros e pardos. Talvez esse seja um dos motivos pelos quais não falamos sobre dinheiro; muitos de nós, privilegiados, temos vergonha de como esses recursos chegaram até nós. Dito isso, em nível individual, meus pais são modelo de como administrar bem seu dinheiro, não perfeitamente, mas fielmente. Não estaria onde estou sem a generosidade deles.

O segredo é lembrar que dinheiro não é um recurso neutro, especialmente em uma sociedade consumista e extremamente preocupada com imagem como a nossa. Economistas, psicólogos e sábios bíblicos confirmam que quanto mais dinheiro temos, mais ele nos consome, e mais complicada e estressante nossa vida se torna.

A Bíblia adverte a respeito do amor ao dinheiro porque ele prende nosso olhar a coisas terrenas, não eternas. Na parábola do semeador, Jesus diz que o evangelho é sufocado "pelas preocupações desta vida, pela sedução da riqueza e pelo desejo por outras coisas" (Mc 4.19). Na parábola do rico insensato, Jesus acautela seus seguidores: "Guardem-se de todo tipo de ganância. A vida de uma pessoa não é definida pela quantidade de seus bens" (Lc 12.15). O apóstolo Paulo adverte que, nos últimos dias, "as pessoas só amarão a si mesmas e ao dinheiro. Serão arrogantes e orgulhosas, zombarão de Deus, desobedecerão a seus pais e serão ingratas e profanas" (2Tm 3.2).

As Escrituras fazem uma associação direta entre ganância humana e sofrimento humano. O Antigo Testamento é repleto de prescrições para não explorar nem maltratar os pobres, mas suprir suas necessidades; os profetas censuram aqueles que acumulam riqueza ao mesmo tempo que ignoram o sofrimento de seu próximo. As Escrituras também advertem acerca da riqueza suntuosa, que nos leva a ostentar bens materiais a fim de impressionar outros ou despertar inveja. O recato é uma virtude bíblica, mas não apenas da forma como evangélicos têm ensinado nas últimas décadas. Paulo aconselha as mulheres a terem "discrição em sua aparência. Que usem roupas decentes e apropriadas, sem chamar a atenção pela maneira que arrumam o cabelo ou por usarem ouro, pérolas ou roupas caras" (1Tm 2.9). Ouro e pérolas não são coisas inerentemente más; contudo, representam suntuosidade, ostentação de riqueza. Paulo diz aos cristãos primitivos que não devem chamar a atenção para si mesmos com artigos de luxo.

Talvez pelo fato de a igreja americana ter ensinado o recato quase exclusivamente como sinônimo de pureza sexual, tantos pastores-celebridades não enxergam o significado mais amplo desse versículo. Quando Lentz e outros pastores-celebridades exibem seus artigos de luxo no palco, não são nada recatados. Na página de sucesso no Instagram PreachersNSneakers, Ben Kirby destaca pastores que usam tênis, relógios e roupas de grife. Ele posta fotos de pastores e dos sites que fornecem o preço daquilo que eles aparecem usando. O pastor Chad Veach, de Los Angeles, mudou seu nome no Instagram depois que Kirby postou uma foto dele com uma bolsa de 1.980 dólares e calças de 795 dólares.[31] Os pastores Rich Wilkerson Jr., Steven Furtick e Judah Smith aparecem com frequência nessa página. O mesmo acontece com pastores que pregam a teologia da prosperidade e que encontram uma boa justificativa teológica para exibir sua riqueza: se você der dinheiro para Deus, também poderá vestir roupas da Gucci.

De acordo com Kirby, Lentz justifica suas roupas de luxo ao dizer que é simplesmente o que outros nova-iorquinos vestem. "Quero me parecer com as pessoas que procuro liderar."[32] Essa linha de raciocínio afirma que os ricos também precisam de Jesus e, para obter credibilidade em círculos abastados, é preciso agir e se vestir adequadamente.

Tudo bem que Jesus amava pessoas ricas e fez amizade com elas, gente como Zaqueu e José de Arimateia. Mas Jesus não se *tornou* rico a fim de ministrar a essas pessoas. Ele também amava pessoas pobres e fez amizade com elas. Aliás, tinha consideração especial por gente de condição humilde, os excluídos das salas VIP de sua época.

A exemplo de Jesus, ministros do evangelho devem ter liberdade de evangelizar qualquer um, não importa qual seja sua renda. O problema de ministrar à pequena minoria rica é que, uma vez que nos vemos em seu meio, pode ser difícil permanecer em contato com a grande maioria. A riqueza isola. E, quando nós mesmos somos ricos, é fácil passar boa parte do tempo com outras pessoas ricas. Dentro dessa bolha, podemos começar a imaginar que luxos — jatos particulares, várias casas, um armário cheio de roupas de grife, chefs de cozinha e governantas, bem como bolsas masculinas que custam 1.980 dólares — são normais e absolutamente necessários.

Para líderes de ministério, a riqueza pode criar suas próprias justificativas. O que no início era uma extravagância, com o tempo se torna uma necessidade. Por exemplo, a maioria de nós considera absurdo um pastor ter um jato particular ou usar com frequência serviços de taxi aéreo. Alguns líderes de renome explicam, contudo, que em longo prazo o custo é menor do que viajar na primeira classe; além do mais, líderes podem fazer reuniões em um jato particular. É bom observar, obviamente, que ninguém *precisa* viajar na primeira classe e que o tempo dos pastores tem o mesmo valor que o tempo de qualquer outra pessoa. Ainda assim, se alguém tem um jato particular para levá-lo a qualquer parte do mundo, ou um iate para receber colegas de ministério, ou várias mansões para desfrutar tempo com a família ou a aposentadoria, ou uma bolsa masculina de grife para levar seus muitos petrechos, é melhor justificar isso tudo como algo bom e sensato.

No entanto, líderes cristãos devem sempre se perguntar se a forma como gastam dinheiro sinaliza recato ou ostentação, especialmente para aqueles a quem eles estão ministrando. O que está em questão não é se jatos particulares sempre são algo mau (embora, de modo geral, eu acredite que seus problemas excedem em muito as conveniências temporárias). Ou se refeições sofisticadas, uma segunda casa e roupas caras sempre, e em todo lugar, são coisas erradas. O que está em questão é que, em nossos dias, todas essas coisas representam ostentação de riqueza. A fim de refrear a sedução mundana do dinheiro, líderes cristãos devem cultivar recato financeiro e pedir que outros os ajudem a se manter firmes nesse propósito por meio da prestação de contas.

A chave para essa prestação de contas é a transparência. Transparência financeira significa que funcionários, membros e mantenedores da igreja podem acessar ou solicitar facilmente registros que mostrem como o dinheiro é gasto. Doadores e dizimistas não precisam saber tudo o que o pastor ou líder faz com sua renda. Mas deveria ser possível saberem qual é sua renda e como se compara com a renda dos demais funcionários da igreja e de outros pastores e líderes em áreas semelhantes de atuação.

Nos Estados Unidos, a Receita Federal exige que empresas sem fins lucrativos preencham todos os anos o Formulário 990. Nesse formulário é preciso informar "receita anual, salário dos empregados com a remuneração mais elevada, nomes dos membros do conselho e de grandes fornecedores, gastos da organização com custos administrativos e arrecadação de recursos".[33] O Formulário 990 garante que ministérios e organizações sem fins lucrativos "estejam fazendo o que dizem estar fazendo".[34] Garante que estejam usando recursos doados para os propósitos da organização sem fins lucrativos, e não para rechear os bolsos dos líderes de alto escalão.

Em virtude da separação entre igreja e estado, as igrejas americanas não precisam preencher o Formulário 990. Um número cada vez maior de organizações cristãs sem fins lucrativos tem se aproveitado desse fato. De acordo com dados fornecidos em 2019 pelo Observatório de Ministérios, há um número maior de ministérios que estão mudando sua natureza jurídica de organização sem fins lucrativos para igreja, não porque são igrejas, mas porque não querem prestar contas à Receita Federal. Entre os ministérios que mudaram sua natureza jurídica estão a Associação Willow Creek, a Associação Evangelística Billy Graham, a CRU (antiga Cruzada Estudantil) e Ministérios Internacionais Ravi Zacharias.[35] Líderes do Observatório de Ministérios advertem que esse posicionamento de sigilo, em lugar de transparência, pode facilmente ser usado para esconder os salários e os gastos de líderes.

Não faz parte do escopo deste livro prescrever quanto igrejas devem pagar para seus pastores ou quanto organizações devem pagar para seus líderes. Tenho minhas opiniões a respeito do que parece ser justo e do que parecer ser excessivo quando se trata do salário de um indivíduo. É verdade, porém, que nunca dirigi uma igreja ou organização. Nunca tive as responsabilidades imensas que fazem parte desse tipo de liderança. Para nossos propósitos, o que importa é que líderes cristãos e suas organizações sejam transparentes e honestos a respeito de como usam seu dinheiro.

Isso significa disponibilizar relatórios anuais com o salário do líder, manter registros financeiros e providenciar que o conselho ou um grupo externo de supervisão como o Conselho Evangélico de Responsabilidade Financeira analise esses registros e faça auditorias periódicas para garantir que doações e outros recursos arrecadados estejam sendo usados para os fins declarados.[36]

Poder predador

Se o comediante John Crist já trabalhasse na década de 1990, quando eu era adolescente, é provável que tivesse sido uma das celebridades cristãs das quais eu gostava. Crist se tornou um dos cem artistas com mais turnês mundiais graças a suas observações sobre a cultura evangélica. Nas redes sociais, ele faz piadas de tudo, desde cultos contemporâneos até sites de encontros e mães que não deixam os filhos ler Harry Potter. Crist conquistou fama "justamente porque é o que muitos jovens cristãos desejam ser: engraçado, inteligente, descolado, alguém com quem é fácil se identificar e que fala abertamente sobre sua fé".[37] Ele tinha milhões de fãs on-line, e sua presença em várias mídias lhe garantiu um programa especial na Netflix em que não pronunciou um palavrão sequer.

Esse sucesso desmoronou, ou pelo menos se estagnou, quando cinco mulheres fizeram alegações de conduta indevida contra ele em 2019. De acordo com a revista *Charisma*, essas alegações abrangiam relacionamentos sexuais com mulheres casadas, oferta de ingressos em troca de favores sexuais e contar vantagem sobre encontros com mulheres depois de apresentações em igrejas, eventos de ministérios e clubes de comédia.[38] Em resposta, Crist pediu perdão por "pecar contra Deus, contra mulheres e contra as pessoas que eu mais amo"[39] e cancelou as apresentações restantes de sua turnê. Oito meses depois, ele reapareceu para compartilhar que havia passado tempo em um local de tratamento em razão de "seu pecado e vício sexual", antes de postar um vídeo fazendo piada sobre a cultura de cancelamento.[40]

Alguns dos fãs de Crist observaram que as mulheres que o denunciaram haviam participado voluntariamente do que tinha acontecido. Em outras palavras, ninguém as obrigou a se encontrar com Crist, aceitar ingressos dele ou lhe enviar mensagens de texto ou imagens explícitas. Haviam participado com ele do pecado sexual. Talvez essa fosse uma história de vício sexual de um homem, mas será que era uma história de *abuso*?

Preste atenção, porém, no que disse Kate (pseudônimo), a primeira mulher entrevistada pela revista *Charisma*:

> Fiquei espantada quando John [Crist] concordou que eu o entrevistasse para meu trabalho de conclusão de curso da faculdade. [...] Estava trêmula e nervosa de me encontrar com alguém que era meu ídolo havia meses.[41]

Pouco tempo depois de os dois se conhecerem, Crist pediu a Kate que se encontrasse com ele na frente de seu prédio. Ele lhe deu uma garrafa de plástico cheia de bebida alcóolica e a levou para andar de patins. De acordo com Kate, ele disse que ela era talentosa e que ele podia ajudá-la em sua carreira. Mais tarde, ele a agarrou e fez uma proposta. Ela se desvencilhou e disse que queria um relacionamento de mentoria, e não sexual. Enquanto isso tudo acontecia, Kate disse que havia sido "totalmente pega de surpresa em razão da celeridade de Crist. Houve momentos em que pensei: 'Essa conversa está meio estranha', mas uma frase que passava repetidamente por minha mente me impediu de ir embora: 'Fique tranquila. Ele é cristão. Não vai fazer nada inapropriado'".[42] Dois anos depois do encontro com Crist, Kate diz que continua a ter dificuldade de entender "o que significa ser cristã depois de ser decepcionada de forma tão nojenta por uma pessoa que eu via como exemplo e como homem de Deus".[43]

Crist conseguia manter essa conduta por dois motivos: era uma celebridade que parecia ter a capacidade de cegar alguns fãs, e era uma celebridade *cristã*. O fato de alguém ter uma plataforma cristã e produzir conteúdo cristão leva seus fãs a supor que esse indivíduo seja discípulo maduro de Cristo e que os tratará com integridade e respeito.

Claro que o abuso acontece em pequenas e grandes igrejas, em todas as denominações, sem discriminação de raça, classe, idade ou credo. O movimento #ChurchToo [#IgrejaTambém] deixa evidente que o abuso pode ocorrer sempre que uma pessoa, celebridade ou não, exerce poder sobre outra. A violação do corpo de outra pessoa para satisfazer desejos sexuais é uma das expressões mais destrutivas de poder corrompido. Muitos sobreviventes ainda sofrem de feridas emocionais, psicológicas e espirituais décadas depois que foram violados. Revelações de abuso são especialmente aflitivas quando envolvem líderes que falam de Deus para justificar seu comportamento predatório ou para culpar as vítimas ("Deus permitiu", "O ministério é muito solitário, preciso disso", "Temos uma ligação espiritual especial", "Você deve perdoar e seguir com a vida"). Esses atos são escândalo para o evangelho, dignos de pedras de moinho (Mt 18.6), e são razão suficiente para que o indivíduo seja removido do ministério em caráter permanente.

Nem todos os abusadores são celebridades. Mas o poder da celebridade torna muito mais fácil, em inúmeros aspectos, alguém cometer abuso.

Líderes-celebridades são, com frequência, cheios de carisma e charme. Podem atrair outros com suas palavras, convencê-los a adotar sua visão ou simplesmente iluminar o ambiente com seu sorriso e sua presença. É fácil entender como esse poder interpessoal pode ser usado para manipular outros. A celebridade aumenta o diferencial de poder do qual o abuso se alimenta.

A celebridade atrai. Pessoas desejam estar próximas de celebridades porque são engraçadas e inteligentes ou porque aquilo que apresentam em público, por meio de seus sermões, livros ou shows cômicos, exerce efeito positivo. Nos casos de Crist, Hybels, Zacharias e outros, as vítimas afirmaram que, a princípio, ficaram empolgadas por estar perto de seu líder. Um convite para se encontrar com eles nos bastidores, ou em um iate, ou em seu camarim, era irresistível. É agradável fazer parte do círculo mais próximo de uma celebridade, mesmo que seja só por um momento. Além disso, por vezes as vítimas são atraídas pela promessa de que a celebridade poderá transformá-las em celebridades também ou ajudá-las em sua carreira.

A celebridade engana. Sussurra para o líder-celebridade que ele está acima das regras, dos padrões morais ou da lei. Um dos resultados mais assustadores dessa atitude foi resumido por um ex-presidente dos Estados Unidos: "Quando se é uma estrela, as pessoas deixam você fazer essas coisas. Você pode fazer o que quiser", ele declarou, antes de contar vantagem por ter atacado mulheres.[44] Ele expressou verbalmente essa ideia horrível, mas outros presidentes e incontáveis outros homens poderosos parecem ter a mesma opinião, a julgar por suas ações. Acreditam nisso porque outros permitiram que eles agissem fora dos limites normais de integridade e responsabilidade. Se a celebridade engana um indivíduo, também pode enganar uma comunidade ou instituição.

A celebridade protege. Quando vítimas fazem alegações, o líder-celebridade tem certeza de que fãs e apoiadores o defenderão e desacreditarão as vítimas. A riqueza que muitas vezes acompanha a celebridade permite que ele pague advogados para defendê-lo em processos civis ou criminais. Por vezes, ele também usa seu poder financeiro para comprar o silêncio das vítimas na forma de indenizações extrajudiciais, acordos de sigilo ou ambos. Algumas vítimas chegam à conclusão de que denunciar publicamente seus abusadores não vale a pena, tendo em vista as represálias de fãs das quais serão alvo e das longas batalhas nos tribunais.

Por fim, a celebridade isola. Muitos líderes-celebridades se encontram desligados de pessoas que verdadeiramente os conheçam. Sem real proximidade, os líderes-celebridades podem escapar impunes de coisas que eles jamais cogitariam se outros pudessem descobrir. O espaço além dos holofotes pode ser extremamente escuro. E pode ser solitário e desnorteante. Nem é preciso dizer que uma agenda de viagens que leva alguém de um hotel para outro cercado por sua comitiva, em cidades com inúmeros admiradores, mas sem amigos verdadeiros, é solo fértil para dissimulação e abuso.

No caso de Crist, perguntamo-nos se, durante os oito meses que ele ficou fora dos círculos de comédia, ele pediu perdão pessoalmente às mulheres que magoou. Também nos perguntamos se ele tem condições de fazer turnês, considerando que, no passado, ele usou o isolamento das viagens para se aproveitar de outros. A maior parte dos fãs de Crist declarou, de modo genérico, que ele foi perdoado. Muito lhe agradeceram por voltar a se apresentar para que pudessem rir durante os difíceis anos da pandemia do coronavírus.[45]

É tentador concluir que um conselho ou uma assembleia governante teria impedido os abusos cometidos por Crist. Em outras palavras, se ele fizesse parte de uma organização com um conselho ao qual ele respondesse, talvez não tivesse se desencaminhado. Embora não conheça Crist e não saiba o que há em seu coração, e com votos de arrependimento para ele e de cura para suas vítimas, creio que construir uma carreira em torno de uma pessoa só é uma receita quase garantida para desastre.

Seria ingenuidade, porém, imaginar que instituições sempre são capazes de impedir abuso e que o farão efetivamente. Como observamos no capítulo 2, o poder da celebridade em nossos dias suplantou em muito o poder das instituições. Com frequência, as instituições servem de plataforma para a carreira ou para a influência da celebridade, em vez de ser um âmbito de transparência e profunda transformação. E, quando se trata de abuso, instituições inteiras podem ser enganadas e levadas a crer em um relato falso. Instituições construídas em torno de uma celebridade e de seu legado são especialmente suscetíveis a negar o abuso, mesmo quando está bem diante de seus olhos. As instituições podem, em sua pior manifestação, tornar-se as maiores facilitadoras e cúmplices do abusador.

Quando instituições cometem abuso

O resultado da investigação das alegações contra Ravi Zacharias não dourou a pílula. Constatou-se que ele havia assediado várias mulheres que trabalhavam nos *day spas* que ele frequentava. Ele trocava textos e imagens explícitas com mulheres do mundo inteiro. Tinha dito a uma mulher, que o acusou de estupro, que ela era sua "recompensa" por uma vida de serviço fiel e "a fez orar com ele e agradecer a Deus pela 'oportunidade' que ambos haviam recebido".[46] E ele tinha seduzido Thompson para que lhe enviasse fotos explícitas ao "ganhar sua confiança como guia espiritual, confidente e líder cristão de destaque".[47]

Em resposta a essas constatações, o conselho internacional de diretores da MIRZ publicou uma carta aberta. Esses líderes expressaram espanto, angústia e tristeza. Em seguida, disseram algo importante e incomum: "Também sentimos forte necessidade de arrependimento como instituição".[48] Prosseguiram:

> Sabemos com base na investigação que Ravi tomou uma série de providências extensas para esconder seu comportamento de sua família e de seus colegas e amigos. No entanto, também reconhecemos que, em situações de abuso prolongado, muitas vezes existem sérios problemas estruturais, culturais e de políticas internas. [...]
>
> Lamentamos que nossa confiança indevida em Ravi tenha resultado em menos supervisão e prestação de contas do que a sabedoria e o amor exigiam.[49]

Teria sido fácil o conselho dizer que não sabia de nada. Afinal, apenas Zacharias havia cometido abuso. E era evidente que ele havia escondido seu comportamento de colegas de trabalho, apoiadores e familiares. Ele tinha quatro telefones celulares, e nunca os entregava para que fossem examinados.[50] Afirmava que seguia a Regra de Billy Graham, mas, com frequência, ficava a sós com massagistas para tratar de problemas das costas. Não era raro passar trezentos dias do ano em viagens, enquanto membros de sua equipe eram instruídos a viajar apenas cem dias por ano. Em resumo, é difícil dizer o quanto a MIRZ tinha acesso às atividades de seu fundador. Ao que parece, Zacharias havia aperfeiçoado uma vida de segredos.

Ainda assim, o conselho da MIRZ agiu corretamente ao reconhecer que o abuso não é apenas um problema individual; muitas vezes, é um problema institucional. A MIRZ tinha se recusado a investigar a verdade a respeito de seu fundador. Líderes tinham feito vistas grossas ou acreditado nas explicações de Zacharias sem pedir mais informações. Quando as alegações começaram a vir à tona, a maioria dos líderes acreditou em Zacharias e imaginou que ele estivesse sendo vítima de extorsão, que Lorri Anne e seu marido não passassem de vigaristas e que não havia ocorrido nenhuma transação financeira com os Thompsons. (Na verdade, Zacharias havia pago para eles 250 mil dólares com parte de um acordo extrajudicial.) Os líderes não deram início a uma investigação quando a história dos Thompsons veio a lume em 2017. Posteriormente, quando uns poucos líderes da MIRZ exigiram mais informações, a reputação desses indivíduos dentro da organização foi prejudicada.

Em seu caráter de ministério de apologética que proclama amar a verdade, a MIRZ como instituição deixou de buscar a verdade. O fato é que muitos de nós fazemos o mesmo. São necessários líderes de caráter extraordinariamente forte para pedir contas de uma figura benquista, para cogitar a possibilidade de que talvez ela não seja quem diz ser. Além da enorme dissonância cognitiva que essa situação cria, temos medo de que nosso líder ou mentor seja desmascarado e de que nosso apego a ele, ou àquilo que ele representa, se desintegre. O que isso significará para nosso próprio chamado ou nossa identidade? Ou nos recordamos de nossas experiências pessoais positivas com esse indivíduo e operamos a partir de um binário falso: uma vez que vimos o bem, essa pessoa só pode ser *inteiramente* boa; é impossível que *também* seja capaz de ferir outros ou abusar de seu poder.

Em muitas organizações, no início o poder tóxico da celebridade não diz respeito à pessoa em si. Com frequência, começa como algo semelhante a amor, talvez respeito ou admiração. Passamos a integrar uma organização porque admiramos seu fundador ou seu principal líder. Queremos ser semelhantes a essa pessoa ou dar continuidade a seu legado importante. Extraímos dela certa medida de nossa identidade e propósito.

Foi o que aconteceu inicialmente com Ruth Malhotra. Ela frequentava a mesma escola na Geórgia que os filhos de Zacharias e tinha admiração pelo "Sr. Ravi".[51] Quando era jovem, deixou um emprego na política ao se sentir chamada para o ministério. Em 2013, tornou-se porta-voz da MIRZ e viajou com Zacharias para a Índia em uma turnê de palestras. Mas, quando notou que ele passou um dia inteiro sozinho com sua massagista, expressou preocupação. Suas observações não foram bem recebidas. "Aprendi a ficar de boca fechada", ela disse.[52]

Quatro anos depois, quando a história de Thompson veio à tona, Malhotra participou de uma força-tarefa interna criada para lidar com a crise. Quando ela observou algumas incoerências na história de Zacharias, disse que foi "marginalizada e caluniada e sua imagem foi distorcida por membros importantes da equipe de liderança".[53] Um líder disse que ela estava "cansada e emotiva" e procurou dissuadi-la de fazer anotações durante reuniões. Outro disse que ela havia passado de "cética a cínica". Ainda outro afirmou que Malhotra precisava "seguir a instrução de Mateus 18 e conversar diretamente com Ravi". Se ela não o fizesse, seria "desobediente", pois "era isso que

Jesus faria". Quando Malhotra fazia perguntas difíceis, outra pessoa a cobrava repetidamente: "De que lado você está?". Além dessa pressão sobre Malhotra, membros da equipe de Zacharias zombavam de Thompson e falavam com orgulho do longo casamento de Zacharias e sua esposa.[54]

Do outro lado do Atlântico, Amy Orr-Ewing, que na época era diretora da MIRZ na Europa, Oriente Médio e África, deparou com inúmeros obstáculos para encontrar a verdade. Quando Orr-Ewing descobriu que Zacharias havia assinado com os Thompsons um acordo de sigilo que incluiu um pagamento, embora ela houvesse sido informada de que nenhum valor havia sido pago, ela *seguiu* a instrução de Mateus 18. Confrontou Zacharias em uma viagem a Bangkok. "Procurei mostrar que era do interesse dele esclarecer a situação", ela me disse em entrevista por telefone. "Mas, depois da reunião, descobri que eu era considerada uma pessoa desleal e cínica, uma fofoqueira." Líderes do alto escalão "tentaram instilar medo em qualquer um que falasse sobre esse assunto".

Por fim, a força-tarefa interna da MIRZ contratou uma "conciliadora" cristã. Essa providência foi apresentada como uma oportunidade de membros do grupo se reconciliarem depois uma série de reuniões tensas. Em vez de realizar esse trabalho, a conciliadora pressionou Malhotra para que ela parasse de fazer perguntas. Ela disse que Malhotra estava "a um passo de absoluta e total insanidade".[55] Foi pedido que Malhotra passasse uma semana em "sessões intensivas" com a conciliadora. Em vez de promover reconciliação, a conciliadora havia sido contratada pela organização para manipular Malhotra e levá-la a questionar a própria sanidade.

Orr-Ewing, por sua vez, também foi instruída a se reunir com a conciliadora e com vários líderes sete horas por dia durante quatro dias. Ela descreveu essas sessões como "reeducação psicológica", em que lhe diziam que ela era fofoqueira e havia causado desunião e que, se a reconciliação "não funcionasse", ela seria demitida. Orr-Ewing relatou para mim que precisou de terapia para se recuperar de sintomas de síndrome de estresse pós-traumático. Posteriormente, um psicólogo concluiu que a chamada conciliação correspondia a critérios que definem tortura psicológica.

O abuso sexual causa danos suficientes. Zacharias havia abusado de muitas mulheres, provavelmente mais do que temos condições de descobrir. Mas, ao proteger ferrenhamente seu fundador, pode-se dizer que a MIRZ cometeu abuso espiritual contra Malhotra, Orr-Ewing e outros líderes que ousaram fazer perguntas em busca da verdade. Abuso espiritual é "uma forma de abuso emocional e psicológico. É caracterizado por uma repetição sistemática de comportamento coercivo e controlador em um contexto religioso".[56] A pressão para se conformar ao modo de pensar do grupo, o uso de textos e ensinamentos sagrados para abafar questionamentos e a convicção de que o abusador ocupa um lugar "divino" são elementos que podem fazer parte do abuso espiritual. Todos esses elementos ficaram evidentes no tratamento que a MIRZ dispensou a essas mulheres.

Apesar das mágoas, Malhotra ficou profundamente entristecida com o fato de que a MIRZ errou não apenas em relação a ela, mas, de modo fundamental, em relação a Zacharias. Em algum momento, outro líder poderia ter sentado com Zacharias e pedido que ele apresentasse um relato das interações com os Thompsons que fizesse sentido. Ou poderia ter limitado seu uso de celulares. Ou limitado suas viagens, especialmente quando ia para o exterior e não informava o destino.

Ao aquiescer à condição de celebridade de Zacharias, os líderes da MIRZ o privaram da oportunidade de se arrepender sinceramente. "Ravi era tratado como exceção, era colocado em um pedestal e idolatrado", Malhotra escreveu. "Infelizmente, tudo isso alimentou seu narcisismo, e Zacharias não teve oportunidade de se arrepender e ser restaurado."[57] Ela observou que ele não era membro de nenhuma igreja local e que evitava prestação de contas. Daniel Gilman, apologista que havia trabalhado com a MIRZ, guarda vivo na memória o fato incômodo de que "os apologistas de nossa equipe eram apologistas não apenas de Jesus, mas também de Ravi".[58]

"As pessoas não conheciam Ravi de verdade", Orr-Ewing comentou comigo em nossa entrevista. "Ele ocupava uma espécie de categoria à parte."

Quando colocamos pessoas em categorias espirituais de poder à parte, sem providenciar a prestação de contas que todo poder requer, sem insistir que elas sejam verdadeiramente conhecidas, somos parcialmente responsáveis pela queda dos poderosos. Quando eles caem, nós caímos com eles. O que resta é uma imagem despedaçada e vidas despedaçadas. Estamos apenas no começo do trabalho de juntar os pedaços.

5
Busca por plataformas

Há quinze anos trabalho como editora no mercado editorial cristão e, por vezes, alguém pergunta: "O que devo fazer para ser publicado?". Com frequência, essa pergunta é feita em um evento para escritores e vem de um líder de ministério ou de um escritor que considera ter uma mensagem importante para a igreja. De vez em quando, recebo mensagens nas redes sociais que começam com: "E aí, garota!" e, em seguida, um influenciador esperançoso pede minha ajuda para encontrar um agente literário. (Só para informação dos leitores, não faço esse tipo de intermediação.)

Em todos esses casos, acredito que *eles* acreditam que Deus lhes deu uma mensagem oportuna e que um livro ou artigo poderia ajudar pessoas além de seu âmbito imediato de influência. Por vezes, eu explico como criar uma proposta para um livro ou como oferecer um artigo a um editor de revista. Para quem está do lado de fora, o universo editorial pode parecer elitista e confuso, à mercê dos caprichos de editores e departamentos comerciais. E, tendo em conta que passei toda a minha carreira nessa área, fico feliz de poder ajudar aqueles que procuram, com seriedade, seu caminho nos meios editorais.

Mas deixe-me contar um segredo: não importa o quanto as pessoas se sintam chamadas a ingressar no universo editorial cristão, nem quão forte seja sua convicção de que Deus lhes deu uma mensagem importante, não posso, com sinceridade, incentivar a maioria delas.

Talvez pareça estranho eu dizer algo assim, considerando que gosto de fazer aquilo que eu diria para muitos não fazerem. É especialmente estranho tendo em conta que, no momento, trabalho com a aquisição de novos títulos em uma editora e, portanto, uma de minhas incumbências consiste em persuadir líderes e pensadores cristãos a escrever livros. É como uma loja de chocolates que vende trufas com uma advertência de que açúcar faz mal para a saúde. Ou como um técnico de futebol que recruta novos jogadores, mas deixa avisado que podem sofrer lesões graves. Acaso não participo de uma cultura e de um mercado que perpetua os problemas a respeito dos quais advirto?

Quero deixar algo bem claro de imediato: sirvo a uma editora cristã porque acredito no valor de livros cristãos. Qualquer emprego, em qualquer área, exige que naveguemos por águas éticas complexas, e os autores com os quais trabalho têm as motivações certas: desejam ajudar seus leitores. Têm informações verdadeiramente proveitosas para compartilhar ou uma história genuinamente interessante para contar. Claro que desejam ser remunerados por seu trabalho, mas seu objetivo não é ganhar uma fortuna.

Dito isso, talvez pelo fato de conhecer o funcionamento interno do mercado editorial, sou propensa a desestimular muitos aspirantes a escritor. O principal motivo de minha cautela é que o mercado editorial — bem como os agentes, publicitários, consultores de marca e de redes sociais e organizadores de eventos ligados a esse mercado — tem jogado mais lenha na fogueira do problema da celebridade cristã, mais precisamente, 1,22 milhão de dólares em lenha só em 2018.[1] Quase todas as editoras cristãs são empresas e, portanto, seu principal objetivo é vender livros e gerar lucro. As publicações religiosas continuam a crescer, apesar do número cada vez menor de redes de livrarias físicas e do crescimento de plataformas e personalidades on-line.

Não há nada de errado em gerar lucro. E muitas editoras conseguem equilibrar com habilidade questões de lucratividade e de qualidade do texto, competência e sabedoria dos escritores. Ao longo do tempo, contudo, como a maior parte das instituições, as editoras não conseguiram resistir à preponderância da celebridade em uma cultura consumista. Hoje em dia, plataforma, alcance e influência desempenham um papel gigantesco na hora de decidir quem recebe a oportunidade de escrever para a igreja de modo mais amplo. Instituições às quais um autor pertence tornam-se "plataformas" a partir das quais ele pode vender livros, em vez de ser comunidades sagradas em que as regras do mercado não deveriam ter espaço. Aspirantes a escritor, em resposta à exigência das editoras de uma plataforma, por vezes usam estratégias de marketing e ferramentas disponíveis on-line para ampliar sua influência a fim de chamar a atenção das editoras. Ao mesmo tempo, muitos leitores são levados a crer que os autores são escolhidos em razão de sua maturidade, credibilidade ou discernimento teológico, quando, por vezes, seu contrato foi resultado de uma equipe especializada em redes sociais que soube usar o algoritmo a seu favor.

Escândalos de plágio entre autores cristãos de destaque são apenas os exemplos mais assustadores dos péssimos frutos produzidos por uma ênfase indevida em lucro e plataformas. Christine Caine, Mark Driscoll e Tim Clinton tiveram de lidar com alegações de "erros de citação" ou do uso das palavras de outros como se fossem suas. Essas histórias não são preocupantes apenas no que se refere a furto intelectual (algo extremamente problemático). Também destacam a forma como a cultura moderna de celebridade pode levar indivíduos e empresas a contornar padrões éticos e, ao mesmo tempo, alimentar a lucrativa máquina da celebridade.

E, como tantos aspectos da cultura moderna de celebridade, tudo começou com boas intenções.

Povo do Livro, povo de livros

Evangélicos têm fortes laços com a literatura. Obviamente, são o povo do Livro e atribuem altíssimo valor à leitura da Bíblia na vida pessoal e em comunidade. A prensa móvel de Gutenberg contribuiu para a Reforma protestante e permitiu que traduções das Escrituras por Wycliffe, Tyndale e Lutero se tornassem parte da vida e do lar das pessoas.[2] Os reformadores incentivavam "uma leitura objetiva das Escrituras". Acreditavam que Deus fala a indivíduos ao esclarecer a Palavra por meio do Espírito, sem o poder mediador da autoridade eclesiástica.

Quando a tradução de Martinho Lutero do Novo Testamento para o alemão vendeu cinco mil exemplares em duas semanas (um número considerável até pelos padrões de hoje), ele se tornou o primeiro autor best-seller do mundo.[3] De lá para cá, muitos autores cristãos se esforçam para obter esse título.

Evangélicos também são um povo que gosta de livros. Em uma cultura de impressão em massa, eles "entendem e abordam a leitura de livros e da Bíblia como uma prática central para cultivar a fé pessoal e a intimidade individual com Deus".[4] Quando me tornei cristã, não levou muito tempo para eu perceber o papel fundamental dos livros para minha fé em desenvolvimento. Nosso pastor de jovens recomendou *Eu disse adeus ao namoro*, o epítome da cultura de pureza desde

Paixão e pureza, de Elisabeth Elliot. Em 1999, quando fui dormir na casa de uma amiga, acordei cedo para ler a matéria de capa da revista *Time* sobre o massacre de Columbine. Pouco depois, minha mãe me deu um exemplar de *She Said Yes: The Unlikely Martyrdom of Cassie Bernall* [Ela disse sim: O martírio improvável de Cassie Bernall], sobre uma garota que supostamente professou fé em Deus momentos antes de sua morte. Às vésperas de eu começar a faculdade, minha mãe me presenteou com o livro de Lauren Winner *Girl Meets God: On the Path to a Spiritual Life* [Garota encontra Deus: No caminho para uma vida espiritual] e *Boy Meets Girl* [Garoto encontra garota], de Joshua Harris. (Vou deixar você adivinhar de qual eu gostei mais.) Na faculdade, enquanto garimpava os tesouros intelectuais da fé, devorei obras de C. S. Lewis, Frederick Buechner, Karl Barth, Juliana de Norwich, Fleming Rutledge e Anne Lamott. Para muitos cristãos, a leitura é um ato espiritual.

Ler também é um ato de consumo. O historiador Daniel Vaca observa que, hoje em dia, "praticamente todos os aspectos da vida social envolvem comoditização e consumo", e isso inclui a vida religiosa.[5] Definimos identidade de grupo e pertencimento, inclusive espirituais, em grande medida por meio das coisas que compramos e do conteúdo que consumimos. Editoras cristãs pioneiras como Eerdmans, Zondervan, Moody e Baker (minha empregadora) criaram, juntas, uma "infraestrutura comercial" para a identidade cristã moderna, mais definidora do que qualquer denominação ou organização.[6] Em *Reading evangelicals* [A leitura dos evangélicos], Daniel Silliman observa que, depois da Segunda Guerra Mundial, editoras encontraram potencial de venda em um mercado "transdenominacional". Desde então, livros sobre missionários, conversões dramáticas e autoajuda para casamento e família definem o mercado cristão e dão forma à identidade dos evangélicos e a suas supostas necessidades.[7]

Algumas das principais editoras seculares — especialmente a HarperCollins, que pertence à empresa NewsCorp, de Rupert Murdoch — reconheceram o imenso potencial de vendas do mercado editorial cristão. Desde que a HarperCollins adquiriu a Zondervan em 1988 e a Thomas Nelson em 2011, metade das editoras cristãs agora pertence a uma corporação multinacional que existe principalmente para gerar lucro.[8]

Em outros tempos, quando autoridade e identidade institucional tinham maior poder cultural, é possível que editoras cristãs fechassem contratos de livros com base nas credenciais acadêmicas, na experiência e no ministério do autor. Hoje, editoras evangélicas de não ficção fecham contratos de livros com base no indivíduo, e não em sua autoridade institucional. Não é de surpreender, tendo em conta a retrospectiva histórica que fizemos nos capítulos 2 e 3 e a ascensão da autoridade individual em contraste com as instituições em todos os segmentos da vida moderna. Também não é de surpreender que editoras evangélicas escolham trabalhar com comunicadores carismáticos que apresentam uma mensagem simples de salvação individual por meio da mídia. Leitores evangélicos, e portanto as editoras que vendem para eles, geralmente preferem histórias individuais de inspiração, conselho e transformação de vida em lugar de histórias de instituições e discipulado fundamentado na igreja. Daniel Vaca expressa essa realidade da seguinte forma:

> As empresas evangélicas valorizam a celebridade porque ela valoriza a autoridade independente. Enquanto categorias mais antigas de prestígio, como "renome", reconheciam pessoas especialmente por servirem com dedicação em instituições sociais

e funções benquistas, o fenômeno da celebridade redirecionou a admiração e a imitação, afastando-as das instituições e voltando-as para pessoas específicas pelo mérito que elas parecem ter como indivíduos.[9]

"Renome", nesse caso, pode ser sinônimo de "fama". A fama é resultado de virtude, liderança sensata, realizações específicas, ou todas essas coisas. Nasce da atuação e da liderança com excelência em determinada comunidade física, em que alguém conhece outros e pode ser conhecido por eles. De modo contrastante, a celebridade depende da mídia para criar uma aura de "notoriedade", como diz Daniel Boorstin,[10] sem que a celebridade tenha, necessariamente, feito algo virtuoso ou digno de nota. Celebridade é poder social sem proximidade, é oportunidade de influenciar sem conhecer ou ser conhecido por aqueles que você influencia.

Naturalmente, autores não conhecem e não são conhecidos por todos os seus leitores. Seria estranho e hipócrita de minha parte escrever um livro que deprecie livros como instrumentos de comunicação. A própria natureza desse meio de comunicação consiste em levar palavras e ideias além das fronteiras do tempo e do espaço. Por certo, essa é uma dádiva sem a qual não teríamos muitas obras importantes e enriquecedoras, cheias de discernimento e imaginação. Ademais, não criticamos Agostinho por deixar que seu trabalho de escritor o afastasse de suas responsabilidades pastorais em Hipona.

No entanto, Agostinho não estava vendendo *Confissões* ou suas muitas outras obras para "fãs". E não estava escrevendo livros como produtos a serem comercializados no mercado. Foi nossa fusão moderna de identidade e talentos com marca pessoal e a interminável busca por uma plataforma que levaram muitas editoras e autores cristãos a abrir mão de princípios de sua missão original. O discipulado é terceirizado e colocado nas mãos de gurus. O relacionamento autêntico é mediado por narrativas de vulnerabilidade, com as quais as pessoas "possam se identificar". E a maturidade espiritual é mensurada pelo número de seguidores e de livros vendidos, e não por integridade diária longe dos holofotes.

Em meados de 2019, mais de vinte anos depois do sucesso de vendas que deu a Joshua Harris fama nacional, ele anunciou que havia deixado de ser cristão. "Passei por uma enorme mudança no que se refere a minha fé em Jesus", ele escreveu no Instagram. "Esse processo é chamado popularmente 'desconstrução'; a Bíblia o chama 'apostasia'."[11] Dois anos mais tarde, depois de se tornar consultor certificado pela StoryBrand com o guru do marketing Donald Miller, Harris lançou um "pacote de desconstrução para iniciantes", que podia ser adquirido on-line por 275 dólares. (O site dizia que esse valor não seria cobrado daqueles que haviam sido prejudicados pelos ensinamentos passados de Harris sobre pureza.) A reação negativa foi imediata; Harris pediu desculpas e removeu o curso do site. Para muitos críticos, Harris estava tentando lucrar com o sofrimento das pessoas; para outros, ele ainda não havia feito desconstrução suficiente para se tornar especialista. Embora o "pacote para iniciantes" não seja um livro, ressaltou como evangélicos (e ex-evangélicos) não hesitam em transformar experiências pessoais complexas em produtos vendáveis. "Você pode tirar o garoto de dentro do evangelicalismo americano de celebridade, mas não pode tirar o evangelicalismo americano de celebridade de dentro do garoto", escreveu Carl Trueman em um ensaio mordaz. "A autoconfiança messiânica é item de fábrica. E o pregador continua a ser o vendedor e o produto vendido."[12]

"Sempre foi uma questão de dinheiro"

Conversei com vários líderes no mercado editorial cristão para avaliar o papel da celebridade em nossa área. Eles concordaram em falar comigo em caráter confidencial, pois não queriam perder o emprego e sentiam certa ambivalência em relação a seu papel.

Uma profissional responsável por aquisições em uma editora pertencente a uma corporação observou que a celebridade sempre deu forma ao mundo editorial. "Trinta anos atrás, as celebridades eram Chuck Swindoll e James Dobson, ou seja, aqueles que tinham o maior programa de rádio", ela observou. "Sempre foi uma questão de dinheiro." Publicar livros é um negócio, e naturalmente as editoras querem publicar livros que vendam. O tamanho do público — no rádio, na televisão ou em redes sociais — é uma forma de avaliar o potencial de venda. Hoje, porém, ela diz que a pressão para vender é maior do que nunca, pois cada vez mais editoras cristãs são compradas por grandes corporações. "A maioria das pessoas que trabalha no mercado editorial é cristã e deseja publicar bons livros", disse ela. "Mas, acima dessas pessoas, caso não estejam em uma empresa com uma missão norteada por valores espirituais, tudo é uma questão de receita."

A pressão para gerar lucro confere à plataforma um papel enorme na hora de escolher com quem a editora assinará contratos. A qualidade da escrita, as credenciais acadêmicas e a sabedoria obtida a duras custas não são suficientes para obter um contrato. Os escritores também *precisam* ter plataformas. Para alguns aspirantes a escritor, criar uma plataforma dá tanto trabalho quanto ter um emprego adicional. De modo contrastante, alguém que tenha um grande número de seguidores, que não saiba escrever ou que não tenha muita coisa a dizer, encontra vários agentes e editoras que desejam publicar seu livro. Os números são soberanos.

Até mesmo autores que escrevem bem e são bons líderes podem se render ao jogo dos números. Avaliei diversas propostas de aspirantes a escritor com extensa formação acadêmica e experiência. São bons escritores e pensadores inteligentes. No entanto, a seção de marketing da proposta muitas vezes é mais longa que a amostra de texto, caso haja uma amostra de texto. Outros pastores e líderes conhecidos, com um grande número de seguidores e apoiadores, são relacionados como pessoas que podem escrever endossos para livros e promovê-los após o lançamento. É justo dizer que autores estão simplesmente jogando conforme as regras definidas por editoras e agentes literários. No entanto, tratar a própria igreja como mercado consumidor e os relacionamentos de ministério como transações comerciais mostra que as coisas sagradas e separadas sucumbiram às exigências insaciáveis do mercado de consumo.

"Amamos reclamar de impérios, mas esse é o meio em que estamos no mercado editorial cristão", outro editor de longa data comentou comigo. De acordo com ele, a dinâmica de celebridade teve crescimento acelerado nos últimos anos, em parte por causa dos conglomerados globais, donos de metade do mercado editorial cristão. Embora ele seja veterano nessa área, soube recentemente de uma negociação em uma editora que "fez meu queixo cair. Não entendo como alguém seria capaz de gastar todo esse dinheiro". Seu comentário se refere ao tamanho dos adiantamentos pagos a alguns autores cristãos.

"Se um leitor cristão ou mesmo não cristão típico tomasse conhecimento de alguns desses contratos, perguntaria: 'Como pode uma coisa dessas ser cristã?'", ele me disse. "Até mesmo a pessoa mais secular perceberia que esses valores astronômicos não têm nada a ver com Cristo."

Uma vez que já estamos tratando de um assunto constrangedor (dinheiro), falemos dos adiantamentos. Eles são o valor pago por uma editora a um autor para que ele escreva um livro. Publicar livros é um empreendimento arriscado, e as editoras esperam não apenas recuperar o adiantamento por meio das vendas, mas ter lucro. Teoricamente, o adiantamento é definido por diversos fatores: quão bem o autor escreve, quão relevante é o tema para o presente momento, o quanto determinado editor gosta do autor ou do tema e, sim, a plataforma do autor. Com base nesses fatores, a editora cria uma previsão de vendas que indica quantos exemplares podem ser vendidos. Essa previsão ajuda a definir o valor do adiantamento.

Todos os trabalhadores devem receber por seu trabalho. E escrever é trabalho. (Pode crer quando eu digo, a esta altura do manuscrito, que escrever é trabalho.) Escrever um livro é uma aptidão singular; poucos são capazes de realizar essa tarefa com excelência. Muitas vezes exige pesquisa, entrevistas e sacrifício de um bocado de tempo que seria dedicado a outras responsabilidades. Adiantamentos garantem que o autor seja pago por seu trabalho, não importa o quanto seu livro venda. Recebi dois adiantamentos de livros e sou grata por eles!

O problema surge, evidentemente, quando os valores dos adiantamentos são definidos, em sua maior parte ou exclusivamente, pela plataforma do autor (o que, com frequência, é uma forma de se referir a seu prestígio como celebridade) e quando dá relativamente pouca importância à qualidade do texto, à novidade das ideias e às credenciais do autor. É um sistema que perpetua a si mesmo: as editoras investem mais atenção e recursos em autores para os quais elas já pagaram adiantamentos consideráveis. Celebridade gera celebridade. "Os adiantamentos maiores criam uma distância [...] na mente dos empregados", disse o editor. "Permitem tratamento preferencial." Ele se refere aqui ao fato de que a celebridade cria um sistema hierárquico entre autores.

Também é inserido na equação um diferencial de poder. Quando autores têm consciência de seu alto valor (literalmente, no tamanho de seu adiantamento), têm mais probabilidade de tratar a editora como uma prestadora de serviços do que como uma parceira. Outro agente que, por muitos anos, também foi editor, falou de livros que ele adquiriu no passado de três pastores-celebridades da época. "Era um terror negociar com eles, e seus livros nunca superavam as metas de venda." Quando lhe perguntei por que era "um terror negociar com eles", ele respondeu: "Tinham um ego colossal". De acordo com ele, quando as editoras pagam demais para celebridades, acabam reduzindo as oportunidades para autores menos conhecidos mas que escrevem bem e têm excelentes ideias. É inevitável que as editoras também sejam atraídas para a órbita do ego da celebridade.

Alguns autores famosos na verdade não são autores coisa nenhuma. Não escrevem os livros que têm seu nome na capa. Editoras não têm problema em deixar que "autores" de destaque contratem um autor de verdade que escreva o livro para eles.

Essa prática, chamada *ghostwriting*, é comum nos meios editoriais. Hoje, ela está presente até mesmo em endossos e prefácios. Nesses casos, a editora (geralmente alguém do departamento editorial ou da equipe de marketing) escreve um endosso em nome de um líder-celebridade e, depois, envia o texto para que esse líder aprove, como quem pergunta: "Você escreveria algo desse tipo, não?". Em outras ocasiões, uma celebridade encarregada de escrever um endosso pede a sua equipe ou a um assistente que leia o livro e apresente o endosso em seu nome. A celebridade não lê o livro ao qual associa seu nome (o que parece uma prática imprudente; quem sabe a que conteúdo você pode estar associando sua credibilidade?).

Quando se trata de escrever *livros*, redigir o texto é uma aptidão que nem todos com uma mensagem ou história de valor têm. (Como brincou o falecido Christopher Hitchens, "Todos têm um livro dentro de si, onde, a meu ver, ele deveria permanecer na maioria dos casos".[13]) Tenho convicção de que ghostwriting é uma prática perfeitamente aceitável, mediante duas condições: a pessoa que efetivamente escreve (1) deve ser paga em nível proporcional a sua contribuição para o projeto; e (2) deve receber crédito explicitamente. A forte influência exercida pela celebridade nos meios editorais significa que alguns dos autores campeões de vendas são considerados pessoas ocupadas demais para escrever seus próprios livros, caso tenham essa aptidão. E, com frequência, significa que escritores que trabalham com ghostwriting são remunerados *de forma injusta tendo em conta o que é pago à celebridade*; ademais, *não recebem crédito*.

Todos que trabalham com ghostwriting recebem alguma coisa, geralmente do autor, em um contrato de prestação de serviço. Se um "autor" de renome recebe um adiantamento de quinhentos mil dólares de uma editora e paga ao verdadeiro autor cinquenta mil dólares, pode parecer uma soma considerável e um pagamento justo. Mas será que o verdadeiro autor não contribui com mais de dez por cento do valor do projeto? Afinal, as palavras nas páginas não existiriam sem o sangue, o suor e as lágrimas do verdadeiro autor. E se o livro vende, aquele que realmente o escreveu não recebe direitos autorais; quem os recebe é a celebridade. Disparidades de remuneração desse tipo revelam que o nome do "autor" é mais valorizado do que o trabalho de quem realmente escreveu a obra.

Convém observar, porém, que os escritores que trabalham com ghostwriting assinam esses acordos plenamente cientes de que a celebridade tem mais valor do que o trabalho deles. Se eles ficam satisfeitos com o que recebem, devemos deixar que cada um cuide de sua vida, não é mesmo? Em um nível, é verdade. Muitos que fazem trabalho de ghostwriting têm prazer de ajudar a transmitir a mensagem da pessoa em nome da qual escrevem. A transação entre esse escritor e a celebridade é tranquila. Mas, quando se trata de questões de crédito, a prática de ghostwriting não envolve apenas dois indivíduos em um acordo particular. Também abrange o público leitor, as pessoas que compram o livro. Ghostwriting não é problema, desde que o público saiba do arranjo. Do contrário, pode ser enganoso.

Se descobríssemos que nosso pastor não escreve os sermões que ele prega, que nosso professor não escreve as aulas que ele apresenta ou que nosso músico predileto não escreve as letras de suas canções, mas, sim, que todos eles apresentam o trabalho intelectual de outra pessoa como se fosse deles, sentiríamos que fomos enganados e que mentiram para nós, pois foi exatamente o que aconteceu. Em outras áreas, engano desse tipo é motivo para demissão ou para processos legais. E, no entanto, a prática é comum nos meios editoriais, o que inclui os meios editoriais cristãos.

"Quando um pastor ou líder de ministério lança um livro com apenas o nome dele na capa, faz uma promessa tácita ao leitor de que o conteúdo é dele e veio diretamente de seu coração e de sua mente e que ele o apresenta pessoalmente na forma desse livro", observa Phil Cooke.[14] Não há motivo para editoras e autores cristãos não darem crédito aos verdadeiros escritores dos livros de celebridades. Um simples "com" ou "e" na capa coloca o nome do verdadeiro escritor onde deve estar. Aliás, os cristãos devem ser os primeiros a reconhecer que qualquer empreitada criativa requer trabalho em equipe, que "toda verdadeira criação exige colaboração".[15] Quando o nome na capa não corresponde ao nome do verdadeiro escritor, as editoras apenas engrandecem o "autor-celebridade" ao mesmo tempo que desvalorizam o trabalho do verdadeiro autor. Em última análise, também participam da idolatria: o ídolo é a marca, e o projeto no qual várias pessoas trabalharam é apresentada como obra do "pastor Karl". No entanto, o pastor Karl não existiria sem a comunidade que o apoia a cada passo do caminho. O verdadeiro Karl deve nos informar quando foi Katie que escreveu suas palavras.[16]

Problemas de plágio

Não é coincidência que muitos escândalos de plágio nos meios editoriais cristãos sejam ligados exatamente ao uso dessa comunidade de apoio, isto é, de uma empresa de pesquisas ou de uma equipe de assistentes. Em 2013, quando foram encontrados casos de plágio em dois livros de Mark Driscoll, funcionários da Mars Hill informaram que "uma equipe, que incluía um assistente de pesquisa", não havia citado devidamente as fontes.[17] Com isso, Driscoll podia ser isentado da culpa e a marca "Mark Driscoll" podia continuar a escrever livros.

Uma dinâmica semelhante ficou evidente quando Tim Clinton, presidente da Associação Americana de Conselheiros Cristãos, foi acusado de plágio em 2018. Em resposta, um porta-voz disse que Clinton havia publicado "incontáveis artigos e dezenas de livros, em um total de centenas de milhares de páginas", e que "parte desse trabalho era resultado de envolvimento mais direto de outros, pois, com frequência, ele recebia a assistência de alunos de pós-graduação ou assistentes de pesquisa".[18] Essa resposta destaca de modo bastante apropriado o papel da celebridade, pois conseguiu, ao mesmo tempo, inflar a importância de Clinton (vejam como ele é ocupado e produtivo) e minimizar sua responsabilidade pelo conteúdo dos livros que trazem seu nome na capa.

Uma ex-publicitária de uma editora cristã pertencente a uma corporação se lembra do "momento horrível" em que ela questionou seu papel no mercado. Um autor havia contratado uma empresa externa para colocar seu livro na lista de mais vendidos do *New York Times*. A editora havia argumentado fortemente contra essa ideia, mas ele colocou seu plano em ação mesmo assim. Não funcionou; o livro não entrou na lista de best-sellers. Depois do lançamento, o autor e sua equipe ficaram chateados com a editora porque o livro não havia tido o desempenho esperado. Mas os problemas não começaram aí. "Esse foi o mesmo livro no qual eu tentei apontar um caso de plágio", ela me contou. Quando essa publicitária expressou preocupação diante do fato de que o conteúdo era parecido demais com o de outro livro, a impressão que ela teve foi de que o departamento editorial não se interessou em investigar; era tarde demais para fazer qualquer coisa.

A revista *World* publicou uma reportagem sobre quais editoras cristãs usam ferramentas tecnológicas capazes de detectar plágio em seus livros. A reportagem descobriu que as editoras maiores "não tinham o hábito de fazê-lo, enquanto editoras menores, sim".[19] De acordo com a repórter Emily

Belz, muitos que trabalham nos meios editoriais querem ferramentas melhores. No entanto, o uso de programas desse tipo não é suficiente para tratar do problema de plágio, termo que vem do latim *plagiarius*, "sequestrador".[20] Líderes da área editorial também precisam investir tempo para fazer uma análise minuciosa das obras, especialmente de autores famosos, mesmo que signifique adiar a data de lançamento. Manter essa data é menos importante do que impor padrões mais elevados para os autores.

O mesmo grau de devida verificação é necessário ao avaliar as plataformas de autores. Antes da internet, era difícil (porém não impossível) falsificar uma plataforma. O número de membros da igreja, de ouvintes no rádio ou de mantenedores que o autor dizia ter podia ser verificado por meio de registros denominacionais, de notícias na mídia ou de documentos da Receita Federal. Em nossos dias, porém, em que a presença on-line é algo praticamente essencial para obter um contrato para um livro, é fácil aspirantes a escritor comprarem uma plataforma falsa.

"Uma celebridade é alguém que procura ativamente atenção pública, busca os holofotes da mídia e desenvolve uma rede de agências de apoio e de outras estrelas que manufatura reconhecimento em massa."[21] Essa definição de celebridade é proposta pela historiadora Kate Bowler em seu excelente livro *The Preacher's Wife: The Precarious Power of Women Celebrities* [A esposa do pastor: O poder precário das celebridades evangélicas femininas]. De acordo com Bowler, as mulheres cristãs, ausentes das esferas de autoridade formal em muitas instituições, voltaram-se para o mercado de consumo a fim de exercer dons de ensino e encorajamento. Quando os papéis associados aos gêneros limitam aquilo que as mulheres podem ser ou fazer dentro da igreja, o mercado se mostra disposto a transformá-las em poderosas comunicadoras e em marcas de sucesso.[22] Mulheres como Joyce Meyer, Lisa TerKeurst, Christine Caine e Victoria Osteen usaram suas aptidões naturais de ensino e a forte paixão pela igreja além de suas quatro paredes e se tornaram queridinhas do mundo editorial cristão e do circuito de congressos cristãos complementaristas.

A definição de "celebridade" apresentada por Bowler ressalta que a celebridade moderna, o que inclui a celebridade cristã, pode ser facilmente manufaturada. Se alguém — especialmente mulheres jovens que almejam exercer o ministério de ensino — quiser seguir os passos dessas líderes, nunca foi tão fácil produzir a aparência de renome. O caminho começa nas redes sociais, onde qualquer um pode criar um perfil, comprar seguidores e começar a gerar conteúdo inspirador.

Um editor de uma editora cristã da região de Chicago me falou de um gerente de redes sociais contratado por pastores e líderes de ministério para criar e administrar suas páginas no Facebook. O gerente "impulsiona" a página para públicos internacionais, com frequência na Ásia ou no leste da África, por uma fração do custo de impulsionar essa página para públicos norte-americanos. Essa abordagem gera milhares de curtidas e seguidores para seus clientes. Mas há pouca ou nenhuma interação, isto é, respostas de pessoas reais. Isso acontece porque as contas são falsas ou não estão ativas. "Há quem pague dezenas de milhares de dólares para ter meio milhão ou um milhão de curtidas", disse o editor. "Esses números abrem portas para contratos de livros e até para empregos." O autor pode apresentar esses números em sua proposta para a editora, ciente de que, dificilmente, a editora fará uma análise minuciosa para identificar se esses seguidores são pessoas reais que comprariam um livro. Quando o editor confrontou o gerente de redes sociais e disse que essa prática era enganosa, o gerente justificou que sua atividade era um "ministério internacional".

Seguidores *bots* (literalmente, robôs) são "um algoritmo que finge ser uma pessoa real na internet", diz o jornalista Nick Bilton.[23] O Instagram calcula que 95 milhões de seus usuários são *bots*.[24] No documentário *Fake Famous* [Famoso falso], Bilton escolhe três aspirantes a influenciador como experimento para manufaturar fama. Compra seguidores e curtidas para eles nas redes sociais, cria ensaios fotográficos supostamente em lugares exóticos e até aluga um estúdio de jato particular (uma sala que parece o interior de um jato particular cheio de assentos de couro e taças de champanhe). Com o tempo os influenciadores começam a ganhar seguidores reais e mais seguidores falsos, e sua expectativa é conseguir patrocinadores, viagens com todas as despesas pagas ou contratos para livros e outras oportunidades da projeção na mídia.

Em anos recentes, empresas começaram a usar ferramentas de auditoria para verificar se influenciadores estão comprando seguidores falsos. Sites como Social Audit Pro, FollowerCheck, IG Audit, Hypr, HypeAuditor e Famoid fazem uma verificação automática para identificar atividade suspeita. No entanto, editoras (e pessoas que compram livros) podem fazer suas próprias verificações de contas individuais. Eis alguns sinais comuns de que alguém comprou seguidores falsos para ampliar enganosamente sua influência:

- As interações no perfil ficam abaixo de 1%. Em média, a relação entre seguidores e curtidas é de 1 a 5%, o que significa que 1 a 5% de todos os seguidores curtirão uma postagem. Se, por exemplo, um perfil tem 100.000 seguidores, uma postagem típica deve receber de 1.000 a 5.000 curtidas. Mas, se alguém com 100.000 seguidores recebe apenas 100 curtidas e nenhum comentário, é provável que muitos dos seguidores sejam falsos.

- As interações são genéricas: comentários como "Amém!", "Sim!" ou um emoji de sorriso. (Também é possível comprar comentários falsos.)
- O perfil é seguido por várias contas sem fotos ou sem postagens, ou contas com vários números aleatórios no nome do perfil.
- A contagem de seguidores do perfil apresenta picos de crescimento aleatórios e, depois, se mantém no mesmo nível. (Os picos de crescimento indicam quando foi feita a compra de pacotes de seguidores falsos.)

Tendo em conta a facilidade de falsificar seguidores on-line, essa pode ser uma tentação para aspirantes a autor que competem por atenção de marcas ou editoras. Mas sejamos claros: isso não é ministério, a menos que alguém se sinta chamado a compartilhar o evangelho com robôs. É busca por lucro com base em dados falsificados e, portanto, uma forma de mentira. É o equivalente digital aos evangelistas que exageravam o número de participantes de suas cruzadas ou de pastores que inflavam o rol de membros. Assim como editoras devem se dar o trabalho de investigar esses números, também devem fazer auditorias em redes sociais daqueles que desejam ser autores e que, em suas propostas de livros, afirmam ter um grande número de seguidores on-line.

No entanto, mesmo quando os seguidores de um indivíduo são reais, apresentar sua organização — igreja, denominação ou ministério — como um grupo de consumo pode depreciar o chamado do ministério. Um pastor jovem e carismático, ávido por uma plataforma nacional, enfatizará para agentes literários e editoras o quanto ou quão rapidamente sua igreja tem crescido. Editoras olham para esses números, veem potenciais compradores de livros e oferecem um contrato com base, em parte, no tamanho dessa igreja e de outras igrejas da denominação ou da esfera social do pastor. Em alguns casos, a igreja separa um valor para comprar o livro no atacado e, com isso, impulsiona as vendas e os direitos autorais. A igreja pode organizar um curso com base no livro para que os membros o comprem e acompanhem esses estudos. Por certo, não há nada de errado em membros da igreja gostarem do ensino de seu pastor e comprarem seu livro. Escrever é uma forma legítima de exercer o ministério de ensino e permite que os líderes alcancem pessoas além de sua igreja local. Também não há nada de errado em uma igreja tomar a decisão de apoiar o pastor ao comprar seu livro em grandes quantidades. No entanto, essa negociação pode levar o pastor a pensar nos membros de sua igreja menos como pessoas a serem pastoreadas e mais como consumidores a serem atendidos. E essa situação também leva os membros da igreja a imaginar que seu pastor é distribuidor de conteúdo inspirador, e não pastor de almas. Como Trueman observou, "O pregador é [...] ao mesmo tempo, o vendedor e o produto vendido".[25]

Por vezes, os membros da igreja não sabem dessas negociações. Foi o que aconteceu quando Mark e Grace Driscoll assinaram um contrato de quatrocentos mil dólares com a Thomas Nelson em 2011 para lançar um livro sobre casamento.[26] De acordo com um ex-funcionário da Mars Hill que conversou comigo em condição de anonimato, o executivo da editora que convenceu Driscoll a trabalhar nesse projeto sabia do plano da igreja de contratar a ResultSource e não interviu. ResultSource, uma empresa de marketing que não existe mais, prometia ajudar autores a colocar seus livros na lista dos mais vendidos do *New York Times*. Sua estratégia era ajudar os autores — ou seus ministérios ou igrejas — a comprar grandes quantidades de livros, mas dividir essas vendas para dar a impressão de que indivíduos haviam realizado a compra e, portanto, contornar os mecanismos de detecção usados pelo *New York Times*. Os líderes de ministério Les e Leslie Parrot, David Jeremiah e Perry Noble confirmaram que usaram a ResultSource.[27] Entre o pagamento inicial por esse serviço e a aquisição de livros no atacado, a Mars Hill pagou cerca de 242 mil dólares para a ResultSource: 217 mil para os livros, conforme o preço de mercado ajustado, e 25 mil para os serviços da ResultSource.[28] A igreja também concordou em adquirir 11 mil exemplares do livro, conforme o preço de mercado ajustado. No início de 2012, como parte de uma campanha publicitária de "ano novo, você novo" e em conjunto com uma série de sermões sobre como aprimorar o casamento, *Amor, sexo, cumplicidade e outros prazeres a dois* passou uma semana na lista de mais vendidos do *New York Times*.

Não é novidade que as listas de livros mais vendidos são facilmente manipuláveis; muitas agências ajudam a "fazer livros circularem pelos canais de varejo".[29] Vendas no atacado foram usadas para colocar livros nessas listas desde a obra de Donald Trump *A arte da negociação*, em 1987.[30] Além disso, agências como a ResultSource não são ilegais. Apenas constituem uma forma de aproveitar o sistema. No entanto, quando o dinheiro de dízimos ajuda a comprar os livros do pastor no atacado, e quando as editoras fazem vista grossa para essas negociações, a casa de Deus pode se tornar mais parecida com uma casa de "homens, negociantes e dinheiro".[31] Um lugar que deve ser separado, sagrado, é profanado pelas exigências do comércio, muitas vezes sem que os membros saibam o que está acontecendo. Foi isso que levou Jesus a fazer um chicote e virar as mesas dos cambistas. Seria de imaginar que Driscoll prestaria grande atenção ao relato bíblico em que Jesus confeccionou um chicote.

O ex-funcionário da igreja Mars Hill com o qual conversei se recordou do dia em que caixas e mais caixas de livros começaram a chegar à livraria da igreja, além dos exemplares de *Amor, sexo, cumplicidade e outros prazeres a dois* que a igreja havia concordado em comprar. O gerente da livraria estava à beira de um colapso. "Ele disse: 'Temos quase o dobro de exemplares que eu encomendei. Eu encomendei dez mil, que estão dentro daquelas caixas. Mas milhares e milhares mais continuam a chegar. Talvez eu tenha cometido algum erro ao fazer a encomenda, mas a confirmação de compra que recebi traz dez mil exemplares com o desconto de autor ao qual Mark tem direito'". O gerente da livraria entrou em contato com a editora, imaginando que houvesse ocorrido um erro no envio. Foi então que o gerente e outros funcionários descobriram que dinheiro da igreja havia sido usado para contratar a empresa ResultSource e comprar os livros. "Era uma prova condenatória evidente", disse o ex-funcionário, que pediu demissão no ano seguinte.

ResultSource talvez seja a fraude mais infame nos meios editoriais cristãos da última década. No entanto, nós que amamos livros, que os compramos e os publicamos, seríamos negligentes de atribuir essa ocorrência apenas aos excessos de um ambiente tóxico na igreja e a seu pastor-celebridade.

Mesmo que nosso pastor não esteja falsificando números nas redes sociais nem plagiando conteúdo de outros, aceitamos tacitamente que essas práticas fazem parte de um mercado em que os valores eternos são muitas vezes agrupados com os dados de mercado.

Livros podem transformar vidas como poucos meios de comunicação; foi por isso que eu quis ser editora. E é por isso que lamento profundamente aquilo em que parte considerável do mercado editorial cristão se transformou: um lugar em que reina a plataforma da celebridade. Não foi algo inevitável. E, no entanto, nem mesmo editores de grande discernimento e sensibilidade espiritual são páreo para a pressão do mercado mais amplo por lucros cada vez maiores, marcas pessoais cada vez mais chamativas e a lógica do capitalismo moderno recente que consome todas as coisas. Sem dúvida, muitos líderes e autores individuais nos meios editoriais cristãos continuam a trabalhar nessa área para servir à igreja e promover mensagens importantes, independentemente da atração exercida pela celebridade. Suas motivações são corretas. Contudo, a pressão para gerar lucros maiores a cada ano muitas vezes os leva a trocar as motivações corretas pelas considerações pragmáticas do mercado. Em nossa era obcecada com celebridade, ela é o que impulsiona as vendas. No mínimo, aqueles que compram livros cristãos devem ter consciência dos motivos pelos quais alguns autores recebem o privilégio de publicar um livro. Nem sempre é porque têm vocação. Por vezes, é simplesmente porque cultivaram a aparência impressionante de vocação.

6
Criação de uma *persona*

Jackie (nome fictício) se lembra bem de sua entrevista de emprego na megaigreja. Alguns anos antes, ela e o marido haviam se sentido chamados a frequentar essa igreja em uma cidade rica no sul dos Estados Unidos. Jackie, cuja fé tinha matizes carismáticos, havia começado a orar pelo pastor e acordava no meio da noite para interceder pelo ministério dele. Sua impressão era de que Deus a estava chamando a apoiar essa igreja em crescimento, para a qual ele tinha propósitos especiais.

Tendo em consideração o quanto a igreja era importante para Jackie, a entrevista para emprego causou choque. O pastor avisou que, por vezes, ele era grosso mas que ninguém além dele podia dizer isso. Também explicou para Jackie que era importante preparar as bebidas dele (não alcoólicas, só para deixar claro) exatamente como ele gostava. Jackie comentou comigo: "Senti de imediato um espírito de medo". Como parte da contratação, ela teve de assinar um acordo de sigilo, isto é, um contrato com valor legal segundo o qual ela jamais poderia falar sobre suas experiências na igreja. Acordos desse tipo não são incomuns em igrejas grandes que precisam proteger sua reputação.

O espírito de medo persistiu durante os dois anos que Jackie trabalhou na igreja, onde os funcionários estavam sempre de plantão para atender às necessidades do pastor. Outros líderes da igreja criaram uma cultura de deferência, em que todos ficavam em pé quando o pastor entrava na sala; o raciocínio deles era: Se os líderes de alto escalão não demonstrarem respeito, como os membros da igreja o farão? "Fui instruída a pensar em tudo aquilo que pudesse distrair, incomodar ou ofender o pastor e a remover inteiramente essas coisas", ela disse.

Jackie recorda que, pouco antes de ela sair desse emprego, um tapete vermelho começou a ser estendido para o pastor — literalmente. Os funcionários estendiam um tapete vermelho na igreja e convidavam os membros a tirar fotos com o pastor. Quando Jackie pediu demissão, foi "um desligamento abrupto". Sair da equipe, mesmo de forma amigável, significou ser excluída do círculo de confiança do pastor.

Apesar dessas experiências problemáticas, e anos depois de se recuperar da toxicidade do ambiente da igreja, hoje Jackie tem compaixão do pastor. Ela assistiu a vídeos de pregações dele quando ele era jovem. "Era puro", ela observou. A seu ver, as motivações iniciais do pastor eram boas, mas ele foi atraído para os holofotes, em grande parte graças a outros que o colocaram ali precocemente, antes que tivesse maturidade suficiente para lidar com esse papel. No parecer de Jackie, ele tem problemas de abandono, isto é, medo de que outros o considerarão incapaz de lidar com as pressões de liderar a igreja e, portanto, de que perderá o afeto das pessoas e será rejeitado. Jackie reconheceu que uma parcela importante de sua identidade estava entremeada com sua participação no círculo mais próximo do pastor. "Minha identidade era fundamentada no fato de eu pertencer a sua comitiva e naquilo que eu fazia para Deus e para esse pastor-celebridade, e não em quem eu era em Cristo", ela me disse. "E eu assumo a responsabilidade por essa visão distorcida."

Ao ouvir a narrativa de Jackie e relatos sobre outros líderes cristãos famosos, devo reconhecer que a compaixão não é a primeira coisa que me vem à mente. É difícil nos compadecermos de líderes cujas ações os colocam no alto da escala de narcisismo. É difícil ter pena de pastores que usam o evangelho para acumular poder para si, em vez de deixá-lo transbordar para outros. E é especialmente difícil ter compaixão de líderes-celebridades quando suas ações causaram sofrimento para tantas pessoas. Como os dois capítulos anteriores deixaram claro, os focos deste livro são os abusos de poder que a celebridade promove e a busca por plataformas que a celebridade exige.

No entanto, se celebridade é poder social sem proximidade, ela torna muitos famosos extremamente solitários. Poucas pessoas os conhecem de modo profundo e duradouro, como todos nós desejamos ser conhecidos. Poucos relacionamentos permanecem quando os holofotes se apagam e o ministério fracassa. Poucos amigos honram essas pessoas, não em razão daquilo que elas fazem, mas de quem elas são sem o verniz, com todas as partes que não inspiram nenhuma admiração.

Celebridades são pessoas. E Deus criou todas as pessoas para que sejam amadas e conhecidas, para que encontrem relacionamentos que reflitam Deus no amor de Cristo por nós. No entanto, o poder da celebridade não deixa espaço para esse amor. É verdade que a celebridade pode parecer amor e dar a sensação de amor. Quando uma porção de gente se levanta cada vez que entramos em uma sala, claro que nos sentimos admirados. Quando milhares de fãs inundam nossas redes sociais de comentários cheios de corações e compram nosso livro ou álbum mais recente, nos sentimos bem porque tanta gente gosta de nosso trabalho. Quando participantes de congressos dizem que nossa mensagem transformou a vida deles, acreditamos que, finalmente e verdadeiramente, estamos contribuindo de forma positiva para o reino.

Juntas, as dinâmicas da interação de celebridade-fãs suprem a necessidade que cada indivíduo tem de sentir-se visto, conhecido e amado. Pelo menos em caráter temporário. Ao nos vermos cercados de pessoas que desejam ouvir nossas ideias ou acompanhar nosso trabalho criativo, muitos de nós podemos sobreviver com os mínimos vestígios de admiração por algum tempo. Mas, como todos os ídolos, a celebridade exige que paguemos um preço. Gradativamente, os sentimentos de amor que ela oferece tomam o lugar do amor verdadeiro que requer proximidade, senão diária na forma de casamento ou amizade, certamente proximidade que só pode ser obtida por meio de vulnerabilidade diante de outros em longo prazo. A celebridade impede muitos de alcançar exatamente as coisas mais profundas que os levaram a buscá-la: amor e aceitação.

No presente capítulo, trataremos do preço da celebridade *para* as celebridades. Também examinaremos, porém, por que e como cristãos comuns colocam o peso da celebridade sobre outros e buscam em líderes cristãos famosos preenchimento de suas carências espirituais e psicológicas. "Pesada sempre se encontra a fronte coroada" é a linha mais famosa de *Henrique IV*, de Shakespeare. Hoje, também envolve aqueles de nós que transformaram outros em reis e rainhas.

O paradoxo da solidão

A primeira vez que me entristeci profundamente com a morte de uma celebridade foi em 2014. A manchete dizia: "Philip Seymour Hoffman, ator de grande profundidade, morre aos 46 anos".[1] Não se sabe muita coisa sobre os últimos dias de Hoffman, mas parecem ter sido sombrios em razão de sua luta com o vício, sobre a qual ele falava abertamente. Hoffman atuou em diversos filmes de minha juventude: *Boogie Nights*,

Magnólia, *O grande Lebowski* e *O talentoso Ripley*, entre outros. Desmazelado e sem barriga tanquinho, Hoffman não era um protagonista tradicional, mas era elogiado pelo *páthos* que conferia a todos os papéis.

A maioria das pessoas não sabia o que motivava sua excelência. Depois da morte de Hoffman, um amigo dele comentou: "[Hoffman] carregava consigo um fardo imerecido de vergonha. Era retraído, mas retratava esses personagens tão bem porque tinha vivência própria de culpa, vergonha e sofrimento". Em 2005, Hoffman disse: "Ninguém me conhece. Ninguém me entende. Essa é mais uma coisa que muda quando você fica mais velho. Parece que todos o entendem. Mas ninguém me entende".[2] Ele deixou sua companheira de longa data e três filhos.

A segunda vez que me entristeci profundamente com a morte de uma celebridade foi em 2016. Prince Rogers Nelson foi encontrado morto, aos 57 anos, em sua mansão em Paisley Park, depois de uma overdose de um remédio forte para dor. Prince era quase sobrenatural como cantor, compositor e instrumentista em suas inovações de gênero (musical e sexual). Era um gênio vencedor de prêmios Grammy e um enigma cujas canções divertidas e provocadoras contribuíram para dar novos contornos à música pop. No palco, era espalhafatoso e tempestuoso e, fora dele, extremamente retraído. "Prince permaneceu estranho e inescrutável até o fim; ele ainda é 'nossa coisa inacreditável'", escreveu Vinson Cunningham. "Prince era um gênio, mas também era, de algum modo, uma pessoa como nós e, agora, não está mais conosco."[3]

Nos últimos dias de Prince, alguns amigos chegados sabiam que ele estava tendo dificuldades com sua dependência de medicamentos em razão das dores que tinha nas mãos. Prince dizia que estava deprimido e entediado. Ele morreu sozinho.[4]

Quando uma celebridade morre, é sempre um acontecimento interessante. "Acontecimento" é o termo-chave nessa frase, pois é como a mídia trata a morte e como nós consumimos as notícias. A morte de celebridades sempre tem bom desempenho no ciclo de notícias, ainda mais se for trágica ou de alguém jovem. A fixação na morte de celebridades tem consequências no mundo real: muito antes da internet, o suicídio de celebridades desencadeava um efeito de imitação.[5] A mídia força os limites éticos quando inclui detalhes sensacionalistas da morte de uma pessoa ou continua a explorar a história bem depois da notícia inicial.

No entanto, jornalistas apenas saciam o apetite dos consumidores; eles nos dizem o que queremos ouvir. Somos tão fascinados com a morte de celebridades quanto somos com sua vida. Seus últimos dias e horas são oferecidos como alimento para consumo. Aliás, essa é a única forma de participarmos desse momento, pois não *conhecemos* a pessoa e, portanto, não temos como verdadeiramente lamentar sua morte. Conhecemos apenas aquilo que ela apresentava para nós na tela ou no palco, isto é, uma porção ínfima de sua vida. Quando me entristeci com a morte de Hoffman e de Prince, foi porque sua arte enriqueceu minha vida e minha imaginação. São coisas valiosas, e é legítimo lamentar sua perda; eu e muitos outros continuamos a ser gratos pelos imensos presentes que eles nos deram. Não é o mesmo, contudo, que lamentar a perda de todo o ser de uma pessoa.

Sabemos que nossa fascinação com celebridades beira a idolatria porque ela tem um preço. É quase axiomático observar o preço da vida sob os holofotes, especialmente dos extremamente famosos e extremamente jovens. Daniel Radcliffe, mais conhecido por seu papel principal nos filmes da série *Harry Potter*, lembra-se de ter ouvido gritos e vaias para ele quando era criança e estava viajando com seus pais no exterior. Durante a adolescência, procurou no álcool maneiras de lidar com os aspectos nada mágicos de se tornar uma estrela prematuramente.[6] Britney Spears, Macaulay Culkin, Lindsay Lohan, Amy Winehouse, Corey Haim e River Phoenix pagaram o preço de se tornar famosos quando eram jovens. Stefani Germanotta (Lady Gaga) comentou que se sente presa em casa, pois, quando sai, atrai um enxame de *paparazzi*. "Não consigo imaginar nada que cause tanto isolamento quanto ser famoso", ela disse. Esse isolamento se deve ao fato de que a maioria das pessoas interage com ela como se fosse uma deusa, e não um ser humano.[7] Anos atrás, Justin Bieber definiu para seus fãs uma política de "zero foto", pois "chegou a um ponto em que as pessoas nem dizem 'oi' para mim e não reconhecem que sou um ser humano. Sinto-me como um animal no zoológico".[8]

Um tema comum da fama é o paradoxo da solidão: quanto mais pessoas *sabem* de sua existência, menos as pessoas *conhecem* você. Muitas celebridades dizem que mantêm um círculo bem pequeno de pessoas mais chegadas, por medo de serem perseguidas, assediadas ou usadas pelos fãs que as cercam. É difícil ter uma conversa profunda com um guarda-costas ao seu lado. Para outros, namorar e conhecer pessoas novas é estranho (e não do jeito charmoso e descolado de *Um lugar chamado Notting Hill*). Romance é assunto para tabloides e blogueiros sensacionalistas, e todo novo relacionamento e fim de namoro é uma manchete clicável. Existe até mesmo o desejo maldoso de ver celebridades sofrerem, pois sua dor nos convence de que elas "são como nós" e de que nosso sofrimento pessoal não é tão ruim quanto seu sofrimento público.

Em um estudo sobre celebridades americanas realizado em 2009, a psicóloga Donna Rockwell descobriu que a condição de celebridade produz uma espécie de morte, uma "alteração existencial irreversível" que abrange perda de privacidade e de liberdade de levar a vida no anonimato. Rockwell constatou que os famosos estão sozinhos na "ilha do reconhecimento", em que encontram "uma solidão que acontece porque são colocados à parte".[9] A admiração vem acompanhada de separação; os famosos estão acima dos simples mortais e, portanto, são intocáveis, distintos de todo o restante. Em virtude dessa situação, não é bom admirar alguém sem ter conhecimento também de suas fraquezas e sem ter o compromisso de amar essa pessoa de forma duradoura.

Para lidar com essa situação, muitos famosos usam o que Rockwell chama de "divisão de identidade". Formam uma "entidade-celebridade", uma apresentação do eu, enquanto o verdadeiro eu fica escondido e só é revelado para amigos e familiares. Em alguns aspectos, a divisão de identidade é saudável; a pessoa famosa percebe que há um eu vulnerável e amado que precisa ser protegido de exposição excessiva. Somos mais do que a soma de nossas realizações e dos aplausos que as acompanham. Todos nós precisamos de comunidades que prometam nos amar em vez de nos venerar.

Ao mesmo tempo, a divisão de identidade cria espaço para um eu fragmentado, isto é, para falta de integridade. Integridade significa *integração*, mas muitas celebridades, sejam elas de Hollywood ou da igreja, se sentem interiormente fragmentadas. A "entidade-celebridade" sabe como agir para manter seu público satisfeito, mas o eu verdadeiro talvez esteja se desintegrando e anseie por uma vida normal. O eu verdadeiro talvez nem goste muito da entidade-celebridade. Contudo, a grande admiração da qual a entidade-celebridade é objeto pode ser inebriante. Uma pessoa disse a Rockwell: "Em algum momento, fui viciado em quase todas as substâncias das quais se tem conhecimento, e a mais viciante de todas é a *fama*".[10]

Outro termo para essa "entidade-celebridade" que se apresenta para o público é "*persona*". A palavra *persona* vem do latim e significa "máscara" ou "personagem que um ator interpreta", mas, sem dúvida, não se limita aos palcos. A *persona* é a representação própria que todos nós assumimos em diversos contextos e funções. Está intimamente associada à ideia de personalidade, às qualidades, características e peculiaridades que, juntas, nos tornam quem somos. Algumas características de personalidade são inatas, enquanto outras são aprendidas logo cedo, com base em papéis esperados ou necessários que desempenhamos em nossa família ou comunidade. Nossa personalidade é como aprendemos, logo no início, a suprir nossas necessidades de amor, segurança e pertencimento.

Hannah Arendt, filósofa do século 20, disse que a *persona* é a máscara através da qual nossa verdadeira identidade "ressoa". Em um discurso de 1975, ela observou:

> "*Persona*" [...] se referia inicialmente à máscara do ator que cobria seu rosto individual e "pessoal" e indicava para o expectador o papel e a função do ator na peça. Nessa máscara criada e definida de acordo com a peça existia, porém, uma abertura grande na parte da boca para que a voz do ator ressoasse de forma individual e sem disfarce.[11]

Na opinião de Arendt, nossa *persona* é necessária para que cumpramos nossas responsabilidades no mundo. Contudo, ela não é absoluta. Apesar do reconhecimento que Arendt recebeu por seus textos, ela aguardava com expectativa a obscuridade, o dia em que poderia existir "nesta 'presente realidade' despida [...] não seduzida pela grande tentação de reconhecimento que, não importa a forma que assuma, só é capaz de nos reconhecer como isto ou aquilo, ou seja, como algo que fundamentalmente não somos".[12] Essa "presente realidade despida" é outra forma de se referir a nosso verdadeiro eu, o eu criado, abraçado e sustentado pelo Deus vivo, comparado com a falsa identidade feita de ego, esforço para vencer e gerenciamento de imagem.

As pessoas mais solitárias do mundo

Quando cristãos caem na "grande tentação do reconhecimento" e se desligam de sua identidade de amados em Cristo, há consequências. Chuck DeGroat viu essas consequências de perto. Ele é psicólogo clínico, professor de seminário e especialista em narcisismo na igreja e aconselha muitos líderes em cargos que os sujeitam a forte pressão. Esses líderes o procuram depois de um esgotamento ou de problemas morais, ou quando o trabalho está prejudicando a saúde ou a família. Percebem que é exaustivo manter sua *persona* no meio de seus colegas ou em sua organização. A *persona* está matando a pessoa por trás dela.

"Por trás daquela parte que precisa ser apresentável [eles] compensam por solidão, vergonha e insegurança", DeGroat me disse em entrevista por telefone. "A pressão é: 'Todos os dias, sem exceção, tenho de desempenhar meu papel, pois, do contrário, perderei meu público. Mas também pode ser que eu me perca, pois só me conheço como alguém que desempenha esse papel".[13] Alguns líderes só têm consciência de seu valor em função do papel que desempenham; se a *persona* é removida, eles têm a impressão de que perderam seu valor no mundo. O líder que não tem contato com seu eu verdadeiro se apega aos holofotes, mesmo que seja prejudicial para ele próprio e para outros, pois é a única forma que ele conhece de se sentir amado.

Uma vez que DeGroat escreveu um excelente livro sobre narcisismo entre líderes cristãos,[14] foi sobre esse assunto que nós dois conversamos. No caso de muitas celebridades cristãs que caíram de seus pedestais, aqueles que trabalhavam lado a lado com esses líderes consideram que os problemas remontam a seu narcisismo. Esse termo é usado com frequência, mas é preciso fazer distinção entre transtorno de personalidade narcisista (TPN) e aquilo que DeGroat chama de "estilo" de liderança. O TPN é difícil de diagnosticar e de tratar; acredita-se que 0,5 a 5% da população dos EUA sofram desse transtorno.[15] No momento, não existem boas pesquisas sobre a incidência de TPN entre líderes cristãos.

DeGroat define TPN da perspectiva clínica como "uma percepção grandiosa de si mesmo, falta de empatia por outros, exigência de atenção e apoio, e ruptura em relacionamentos na família e no trabalho".[16] Outras características são evitar responsabilidade, assumir crédito pelo trabalho alheio, buscar vingança, usar ameaças verbais para controlar as pessoas ao redor e exagerar realizações. Esses comportamentos têm como objetivo "esconder dos outros o eu".[17] Pessoas com TPN têm grande dificuldade de formar relacionamentos autênticos.

Para nossos propósitos, o ponto importante é que o narcisista não sabe quem ele é sem aquilo que outros refletem para ele. Esse reflexo é sua única forma de conhecer seu valor. Como Narciso, preso à beira da lagoa, o narcisista morre de medo de se afastar da água — seja ela o palco ou a plataforma editorial — que reflete elogios. Narcisistas são incapazes de ter empatia, pois não conseguem imaginar a dor de outros, uma decorrência de não terem acesso a sua própria dor. Psicólogos afirmam que não há como "curar" TPN, embora seja possível fazer mudanças. "Os narcisistas são as pessoas mais solitárias do mundo", DeGroat comentou comigo.

Claro que é possível alguém ter tendências narcisistas sem receber o diagnóstico de TPN. DeGroat usou com centenas de pastores o Inventário Multiaxial Clínico de Millon, uma ferramenta de avaliação de transtornos de personalidade. De acordo com DeGroat, muitos (embora não todos) apresentam o que ele chamou de "elevação" nas características de grandiosidade e arrogância. Os pastores que se tornam saudáveis — que conseguem ir além da *persona*, têm contato com seu eu verdadeiro e lideram com integridade e humildade — são aqueles que esperam que essas tendências talvez estejam presentes e querem tratá-las. O fato de buscarem ajuda de DeGroat é motivo de esperança.

Outro motivo de esperança é a disposição de examinar traumas passados. Por exemplo, às vezes pastores assumem a atitude de valentões porque sofreram bullying quando eram mais jovens. Ir além da *persona* significa entrar em contato com sua dor e com as partes menos atraentes de sua história. Outro motivo de esperança é a escolha de se cercar de pessoas que possam responder à pergunta: "Como é conviver comigo?". Líderes saudáveis procuram confidentes que não sejam contratados para inflar seu ego, mas que lhes digam com honestidade quando agem de forma arrogante ou fazem exigências desarrazoadas. Em outras palavras, precisam de pessoas que enxerguem além da *persona*, que apontem para as partes menos organizadas do verdadeiro eu, não para criticar ou condenar, mas para amar e transformar.

Diante de escândalos de ministério recentes amplamente divulgados, tem se falado muito sobre prestação de contas. A maioria das igrejas afirma que esse é um valor de grande importância e, então, diz que tem um conselho de presbíteros ou algo semelhante para mostrar que pratica esse valor. Fora das estruturas eclesiásticas, muitos líderes evangélicos do sexo masculino participam de encontros frequentes para confessar uns aos outros tentações sexuais. Tudo isso é ótimo, mas não é suficiente. Vimos que líderes podem dar a aparência de submissão sem verdadeiramente se submeter. O conselho pode ser formado por "compadres" do líder. A reunião de pastores para prestação mútua de contas por vezes se transforma em uma sessão de desabafo sobre membros chatos da igreja. E, como vimos nos capítulos 3 e 4, o diferencial de poder entre um líder-celebridade e os membros de um conselho pode tornar difícil falar com honestidade. Pense em uma reunião com seu chefe (um líder inteligente, de presença forte, que você admira e que, por acaso, também está estressado e, por vezes, tem pavio curto) e pense em apontar, sem rodeios, os pecados e defeitos dessa pessoa. Se você não se sentiu pelo menos um pouco desconfortável de imaginar essa situação, ou é alguém de grande coragem, ou tem um chefe maravilhoso.

Ademais, de acordo com DeGroat, líderes narcisistas têm a tendência de ser "lobos solitários eclesiásticos". De acordo com o sociólogo Robert Enroth, eles evitam a divisão de poderes na liderança e preferem atuar de forma independente, como um "show espiritual de um homem (ou uma mulher) só".[18] Sua igreja ou organização é uma extensão de seu ego, e os membros são atraídos por ela para suprir sua própria necessidade de validação. O narcisismo coletivo é uma realidade e, nele, "existe uma relação de reforço mútuo entre líder e seguidor".[19] DeGroat lança mão do trabalho do psiquiatra Jerrold M. Post (que diagnosticou narcisismo coletivo como elemento associado à política moderna) e escreve:

> O líder depende da admiração e do respeito de seus seguidores; o seguidor é atraído pela onipotência e pelo carisma do líder. O líder usa retórica polarizadora que identifica um inimigo externo e que une líder e seguidores em uma missão grandiosa. Os seguidores se alimentam da convicção do líder a fim de preencher sua própria percepção vazia de identidade. É interessante observar que, nessa relação de reforço mútuo, ambas as partes são propensas a uma forma de narcisismo.[20]

Imagino que muitos leitores já tenham participado de uma comunidade espiritual em que havia essa dinâmica de narcisismo coletivo. Quem teve essa experiência sabe como é difícil inserir prestação de contas em uma comunidade espiritual centrada em um líder com tendências narcisistas e como é difícil mudar a cultura de igrejas construídas em torno de sua *persona*. Uma vez que nós, como seguidores, extraímos de nossa associação com o líder uma noção de missão espiritual, mostramo-nos relutantes em destroná-lo. Se ele deixar de liderar, perguntamo-nos se a igreja (e até mesmo nossa percepção de fervor por Deus) sobreviverá.

Uma medida da verdadeira prestação de contas para líderes de igreja é sua atitude em relação a essa prática. Basicamente, a prestação de contas deve ser um pouco dolorida. Vem à mente o conselho de C. S. Lewis sobre contribuição financeira: "Se nossas ações de caridade não trazem algum desconforto ou dificuldade, creio que são pequenas demais. É preciso que haja coisas que gostaríamos de fazer e que não podemos porque nossos gastos com caridade as excluem".[21] De modo semelhante, deve haver coisas que o líder cristão gostaria de fazer mas não pode, porque colegas e amigos o aconselham a não fazê-las ou porque ele sabe muito bem que mais poder e fama o isolariam de seu eu verdadeiro e amado e poderiam prejudicar outros. Um pouco de desconforto do ego é bom para todos nós.

Rich Villodas, pastor de uma igreja grande e diversa na cidade de Nova York, faz questão de que as congregações cobrem de seus líderes *acessibilidade* e *prestação de contas*, o que significa que eles têm poder social *com* proximidade. Villodas escreve sobre prestação de contas:

> Estaria mentindo se lhes dissesse que faço isso com alegria. Não gosto que outros digam para mim o que fazer. Quero estar no comando. Quero informar e não pedir permissão. E, no entanto, essa tem sido uma das salvaguardas mais importantes de minha liderança e de minha vida pastoral.
>
> Sou grato porque tenho de prestar contas mensalmente a um conselho de presbíteros que faz perguntas difíceis. Sou grato porque eles não se mostram "impressionados" comigo. Nos últimos anos, tive de crescer consideravelmente em meu relacionamento com o conselho. Até hoje, sujeitar-me a autoridade saudável é uma dificuldade para mim. Meu eu falso é desmascarado. Meu perfeccionismo fica evidente. Contudo, lá no fundo, sei que Deus está me protegendo.[22]

O caminho para se afastar da *persona* e se aproximar do eu verdadeiro é um caminho de humildade. E humildade via de regra exige alguma forma de *humilhação*, isto é, despir-nos das histórias que contamos para nós mesmos a fim de revelar uma criatura mais vulnerável. Não é um caminho que a maioria gosta de trilhar; grande parte dos pastores escolhe permanecer no púlpito apesar das críticas, da pressão para sempre ter as respostas certas e do isolamento decorrente do cultivo de um eu falso. Em 2015, a organização LifeWay Research descobriu que na última década, além de aposentadoria e falecimento, apenas cerca de 13% havia deixado o pastorado por outros motivos.[23] Claro que isso foi antes de 2020, quando muitas igrejas tiveram de lidar com conflitos ideológicos, cultos virtuais durante uma pandemia global e notícias polarizadoras. Estão começando a surgir indícios de um número maior de pastores que não conseguiram permanecer no ministério em 2020 e 2021.[24] No segundo semestre de 2020, a organização Barna constatou que cerca de um a cada cinco pastores se sentiu sozinho "com frequência" no último mês, enquanto a LifeWay observou que, em 2011, dos mil pastores com os quais foi realizada a pesquisa, 55% se sentiam sozinhos ocasionalmente, e a solidão era maior entre pastores de igrejas grandes.[25]

O esgotamento é uma ocorrência frequente em meio às exigências de um cargo cheio de pressões e que não deixa espaço para vulnerabilidade. Por vezes, sair de debaixo dos holofotes, estar em menos evidência ou perder inteiramente a posição de destaque (por escolha ou por decreto) é a melhor coisa que pode acontecer. Henri Nouwen foi um dos poucos que escolheu esse caminho incomum. Em seu livro *In the Name of Jesus: Reflections on Christian Leadership* [Em nome de Jesus: Reflexões sobre a liderança cristã], ele relata que passou vinte anos como acadêmico renomado na área de psicologia pastoral e espiritualidade, extremamente respeitado entre colegas católicos e protestantes. Era famoso e bem-sucedido. Mas, depois de lecionar em Yale e Harvard, ele sentiu "uma profunda ameaça interior":

> Depois de vinte anos no ministério, observei que orava mal, vivia de modo um tanto isolado e muito preocupado com questões urgentes. Todos diziam que estava me saindo muito bem, mas algo dentro de mim dizia que meu sucesso estava colocando minha alma em perigo.[26]

Observe a mistura aflitiva de elogio e isolamento: muitos diziam a Nouwen que ele era bem-sucedido, mas ele se sentia desligado de outros. A *persona* ia muito bem, mas a pessoa por trás dela caminhava para aquilo que, posteriormente, ele chamou de morte espiritual. Foi quando ele sentiu Deus intervir, não por meio de um retiro de final de semana ou de um período sabático, mas ao convidar Nouwen a deixar inteiramente o ministério voltado para o público mais amplo. Nouwen passou os próximos anos em L'Arche, uma comunidade criada na França. Ali, pessoas com deficiências intelectuais e pessoas sem deficiências intelectuais moravam e trabalhavam juntas. Foi pedido a Nouwen que ele cuidasse de um rapaz chamado Adam. Esse jovem, que não conseguia andar nem falar, foi exemplo de vulnerabilidade e cuidado para Nouwen. Adam se tornou para ele um ícone de nossa condição de amados, do prazer que encontramos no eu arraigado exclusivamente no amor de Deus. Dentro dessa comunidade, Nouwen não era um estudioso católico famoso. Era, simples e felizmente, Henri. Essa mudança redesenhou toda a sua estrutura espiritual e sua percepção de vocação. A obscuridade o religou a seu eu verdadeiro e amado. Ela o salvou.

A obscuridade seria mais fácil para muitas celebridades se não precisássemos de algo que elas têm a oferecer. A verdade é que, como fãs e consumidores, estamos envolvidos no preço da celebridade. Alimentamos a celebridade ao esperar que pessoas famosas supram nossas necessidades sociais e emocionais.

Fãs esquisitos

Se você passou algum tempo on-line em 2021, é possível que tenha visto manchetes sobre o comediante de stand-up John Mulaney. E, se você leu as notícias, é provável que tenha visto a expressão "relacionamentos parassociais".

Também é possível, contudo, que você não tenha seguido essas notícias tão de perto quanto eu. Preciso admitir para os leitores que sou *fã* de John Mulaney. Ele é incrivelmente inteligente, nascido em Chicago, filho de pais católicos, ambos advogados. (Nessas circunstâncias, como alguém poderia *não* se tornar comediante?) Tem ritmo cômico impecável, não perde nenhum segundo, e seu corpo alto e esguio intensifica o efeito. Muito de seu conteúdo de sucesso diz respeito ao sujeito legal e bem casado, um tema raro entre comediantes de stand-up. Ele não dá golpes baixos. Assisti a seus programas na Netflix exatamente 37 vezes, o que explica por que muitas de suas piadas moram em minha mente sem pagar aluguel. (Aquela sobre a corretora de imóveis com uma divertida energia materna, o cavalo solto no hospital e o "não é engraçado!" de Mick Jagger são falas recorrentes prediletas.)

Não sou daquelas que desenvolve fixação pela vida pessoal de celebridades. De modo geral, gosto da forma como alguns atores e músicos usam seu talento e paro por aí. Não foi o caso, porém, com Mulaney, nem para mim, nem para muitas outras pessoas. Ao ler a notícia de que ele havia passado tempo em tratamento para alcoolismo e uso de drogas no final de 2020, seus fãs também ficaram sabendo que ele e a esposa estavam se divorciando. Em seguida, as manchetes anunciaram que Mulaney estava namorando a atriz Olivia Munn. Naturalmente, não foram poucos os que especularam se havia uma ligação entre essas manchetes. Tempos depois, ficamos sabendo que Mulaney e Munn teriam um filho. Se pensarmos de modo bastante amplo, essas são ocorrências importantes, mas não absurdas, na vida de uma pessoa. E, no entanto, muitos expressaram opiniões bastante incisivas sobre os desdobramentos da vida de Mulaney. A escritora Kayleigh Donaldson observa:

> Até mesmo no contexto da típica forma de hipérbole artística que constitui a linguagem predominante das redes sociais, as reações à separação e ao novo amor de Mulaney pareceram estranhamento desvairadas. Alguns vociferaram que o amor morreu. Outros expressaram tristeza, pois Mulaney não parecia ser esse tipo de sujeito. Amava tanto a esposa! Como pôde fazer isso com ela? Como pôde fazer isso conosco?[27]

Em outras palavras, muitos fãs se sentiram pessoalmente magoados com decisões que não tiveram nenhum impacto real sobre sua vida. Sentiram-se decepcionados, irados e traídos pelas decisões que Mulaney tomou, embora alguns tenham reconhecido que essas emoções eram inapropriadas. Havia uma sensação geral de que *conhecíamos* Mulaney e, portanto, tínhamos certas expectativas a seu respeito, em parte porque, em suas apresentações, ele falava com frequência de seus vícios e de seu casamento. Parecíamos ter nos esquecido de que a comédia, como todas as formas de arte, exige uma apresentação de partes seletas do eu: uma *persona* que mascara o indivíduo complicado por trás dela. O fato de muitos fãs de Mulaney terem se esquecido de que sua apresentação é apenas um espetáculo mostra o quanto ele é brilhante naquilo que faz.

Em uma época em que celebridades usam as redes sociais para compartilhar detalhes pessoais, é fácil os fãs imaginarem que conhecem seus atores e músicos prediletos e até esperar que celebridades abram o coração em público. Mas a indistinção entre a vida pessoal e a vida pública dos famosos começou muito antes do Instagram. A expressão "relacionamento parassocial" foi criada pelos psicólogos Donald Horton e R. Richard Wohl em 1956 para descrever como a mídia dá "a ilusão de um relacionamento pessoal com o artista".[28] Televisão, rádio e cinema proporcionam um encontro extraordinariamente pessoal com a *persona* das celebridades:

> A *persona* é a figura típica do cenário social apresentado pelo rádio e pela televisão e inerente a ele. Dizer que a *persona* é conhecida e próxima é uma forma pálida e débil de expressar o quanto a multidão sente sua presença de modo universal e íntimo.[29]

Em outras palavras, esses meios de comunicação dão ao público a sensação de intimidade. Diante disso, os espectadores se apegam emocionalmente à *persona* de maneiras intensas, ainda que não fundamentadas em um relacionamento real:

> O fato espetacular a respeito das *personas* é que elas podem dizer que têm intimidade e obtê-la com multidões de desconhecidos. E essa intimidade, mesmo que seja uma imitação e uma sombra do significado habitual desse termo, exerce forte influência e causa satisfação nas muitas pessoas que a recebem e participam dela voluntariamente. Elas "conhecem" a *persona* de maneira próxima

> à que conhecem os amigos que escolhem para si: por meio de observação direta e interpretação de sua aparência, seus gestos e sua voz, sua conversa e sua conduta em uma variedade de situações.[30]

Uma celebridade pode criar a sensação falsa de intimidade com multidões de desconhecidos. Desse modo, celebridades exercem imenso poder sobre nosso coração e nossa imaginação. No entanto, um relacionamento parassocial é, inerentemente, unilateral. A celebridade não nos conhece em nenhum sentido. É provável que não queira nos conhecer. A ligação existe apenas na mente dos fãs. Ainda assim, os *sentimentos* que a ligação parassocial produz são verdadeiros.[31] Podem ser ainda mais intensos que relacionamentos na vida real, especialmente quando a vida real de uma pessoa é marcada por desintegração familiar, trauma ou isolamento.

De acordo com psicólogos, relacionamentos parassociais podem ser saudáveis, desde que os fãs reconheçam que esses relacionamentos não são arraigados em verdadeiro conhecimento da celebridade. Relacionamentos parassociais podem dar às pessoas a oportunidade de entender quais valores são importantes para elas ou ajudá-las a desenvolver sua identidade em aspectos que imitam a identidade da celebridade. No caso de Mulaney, fãs se sentiram traídos por seu divórcio e pelo relacionamento que veio logo em seguida porque valorizavam sua *persona* de bom rapaz. Fãs (especialmente mulheres heterossexuais) se apegaram a ele porque estavam em busca de um homem que goste de ser marido. Fãs que lutavam contra vícios admiravam Mulaney pela forma como ele havia lidado com esse problema em anos anteriores. O Mulaney que se apresentava no palco era um ideal romântico e um modelo a ser imitado. Lembrava muitos de nós daquilo que desejávamos ser ou com quem desejávamos *estar*. Quando o Mulaney do palco fugiu do roteiro, divorciou-se e teve uma recaída, o ideal desmoronou.

Como observamos no capítulo 1, o culto à celebridade mostra que existe fome espiritual nesta época em que formas tradicionais de culto e comunidade estão em declínio. Celebridades podem "despertar o fervor religioso de seguidores na sociedade moderna; na presença desses ídolos, eles encontram significado espiritual, realização pessoal e motivação que inspira reverência".[32] Da mesma forma, relacionamentos parassociais revelam anseio relacional em nossos tempos de individualismo e solidão. Dão aos fãs a sensação de ligação quando as verdadeiras ligações parecem escassas. Pode acontecer de meus amigos se mudarem de cidade, se casarem ou me magoarem, mas pelo menos sempre terei meus companheiros da série *Friends*. Outro jantar solitário se torna mais palatável quando um novo drama da família Kardashian se desenrola ao fundo. Posso me perder nas manchetes dramáticas sobre meu ator ou músico predileto para me distrair do tédio e da solidão de minha vida. Talvez eu tenha acompanhado o drama de Mulaney porque minha vida diária não tem nada de dramático. Quando relacionamentos reais nos decepcionam, como é inevitável que aconteça, relacionamentos parassociais preenchem o vazio.

Os cristãos devem ser os primeiros a insistir na primazia de relacionamentos presenciais. Adoramos um Deus que leva os relacionamentos presenciais a sério, a ponto de, na encarnação, ter nascido nos cafundós de uma província romana antiga, só para estar perto de nós. Em resposta à vida, morte e ressurreição de Jesus, os primeiros cristãos formaram comunidades próximas, de solidariedade e abnegação, em que os líderes conviviam com seus seguidores. Reuniam-se diariamente, juntavam seus recursos para atender aos necessitados e faziam refeições juntos em seus lares "com grande alegria e generosidade" (At 2.46). A igreja, em sua melhor forma, é o lugar em que solidão e isolamento são substituídos por relacionamentos autênticos e vulneráveis, não apenas para os membros, mas também para os líderes.

Por que, então, nós cristãos continuamos a colocar outros em pedestais e pedir que supram nossas necessidades parassociais? Por que transformamos nossos líderes em *personas* intocáveis em vez de deixar que vivam e sirvam conforme sua identidade verdadeira e amada? Por que nossos ícones se tornam ídolos com tanta facilidade?

A resposta nos leva de volta a DC Talk, Joshua Harris e outras celebridades cristãs de minha fé adolescente. Quando cristãos se alimentam de uma narrativa de perseguição e de batalha cultural, mostram-se propensos a considerar qualquer cristão que esteja sob os holofotes públicos uma vitória para o reino.

PARTE 3

PARA SUBIR, DESÇA

7
À procura de embaixadores de marcas

Em 2019, Kanye West fez uma mudança inesperada em sua carreira: aliou-se aos cristãos evangélicos. O conhecido cantor de hip-hop tinha acabado de lançar seu nono álbum gravado em estúdio. O título parecia um daqueles outdoors colocados à beira das estradas planas do centro-oeste dos Estados Unidos: *Jesus Is King* [Jesus é Rei].

Uau. Deus conquistou um dos grandes.

Na verdade, não foi a primeira vez que West fez um rap sobre Jesus. Em sua canção de sucesso de 2004, "Jesus Walks", West imaginou como seria se Cristo entrasse em sua realidade. Eu ouvia essa música e o álbum do qual ela fazia parte com frequência quando era mais jovem. Gostava das combinações musicais e letras inteligentes de West. Também era legal ver um artista de talento falar bem da fé cristã, *minha* fé cristã. Afinal, West não fazia parte da bolha de música cristã contemporânea. Tinha credibilidade nos meios musicais de modo geral, e revistas como *Vibe, Rolling Stone* e *Pitchfork* o consideravam o futuro do hip-hop. (Ele concordava, e disse: "Quem não der nota máxima [para o álbum *The College Dropout*] está depreciando a integridade da revista".[1]) Tinha credibilidade no mundo mais amplo e também podia conferir um pouco dessa credibilidade a Jesus.

Só tinha um probleminha: nem todos os raps de West eram sobre Jesus. Seu primeiro álbum também falava de drogas, sexo e roupas e carros de luxo. E esses elementos eram constantes nos outros álbuns de sucesso (ainda que nem todos maravilhosos) de West. A adoração de si mesmo também era um de seus temas, e de forma bastante literal. Na canção *Yeezus*, ele diz: "Eu sou um deus". É uma coisa ousada de dizer e, também, mais ou menos aquilo que se espera de um egomaníaco. Ainda assim, de maneira bastante real, West estava dizendo a verdade. Carrie Battan escreveu na revista *New Yorker*: "Como gênio atormentado, que contrariou expectativas e conseguiu se transformar [...] em ícone do rap e gigante da indústria de calçados, West era o que havia de mais próximo de um deus secular, com milhões de seguidores para venerá-lo".[2]

Então, em 2019, West encontrou um Deus mais digno de adoração do que ele próprio. De acordo com West, naquele ano ele finalmente entregou a vida a Cristo. Kim Kardashian, sua esposa na época, confirmou a conversão: "Ele teve uma evolução incrível; nasceu de novo e foi salvo por Cristo".[3]

"Tentei fazer as coisas do meu jeito e não deu certo", disse ele. "Minha vida estava destruída. Ganho um monte de dinheiro, mas sempre acabo endividado. [...] Minha saúde tem altos e baixos. As pessoas me chamam de louco. Não querem sentar perto de mim. Tive que me render a Deus."[4] Ele afirmou que Cristo havia curado seus vícios em álcool e pornografia. Depois de sua conversão, começou a realizar "Cultos de Domingo" em sua mansão e transmiti-los nas redes sociais. As apresentações com produção de alta qualidade tinham um coral gospel, mensagens dos pastores-celebridades Rich Wilkerson Jr. e Carl Lentz e várias outras pessoas famosas. Até Brad Pitt apareceu um fim de semana.

Os objetivos de West eram explicitamente evangelísticos. Em um dos Cultos de Domingo, ele chegou a reescrever as letras de canções seculares, como faziam empolgados pastores de jovens na década de 1990. Cantou uma versão de "Smells Like Teen Spirit" do Nirvana, com a letra: "Deixe sua luz brilhar, é contagiante / aqui estamos nós, inspiração".[5]

O álbum *Jesus Is King* foi lançado logo depois que West começou a realizar esses Cultos de Domingo. Traz uma mistura de soul, hip-hop e house, com letras que proclamam a nova missão de West de compartilhar o evangelho. Quando ele mencionou em uma de suas canções a rede de restaurantes Chick-fil-A, conhecida por defender valores cristãos tradicionais, passou a ter livre acesso a um grande segmento constituído de evangélicos brancos.

O álbum estreou em primeiro lugar na lista dos mais ouvidos da *Billboard*, recebeu o prêmio Grammy de Melhor Álbum de Música Cristã Contemporânea e, de modo geral, foi bem recebido por críticos não cristãos. Muitos cristãos também gostaram das canções. O sexo, as drogas e a autoadoração haviam sido removidos; finalmente, muitos cristãos brancos podiam ouvir rap sem ficar com a consciência pesada. Em lugar dos palavrões habituais, parecia haver o testemunho sincero de uma vida transformada por Deus. A *Christianity Today*, a Gospel Coalition e até mesmo a revista tipicamente sisuda *Plugged In* elogiaram o álbum.

Líderes cristãos também nos incentivaram a considerar sincera a conversão de West. Afinal, a Bíblia e a história da igreja são repletas de conversões dramáticas. Deus continua a atuar de maneiras surpreendentes no meio daqueles que parecem mais distantes dele. Além disso, quem mais não poderia ser salvo depois de ouvir *Jesus Is King*? Brad Pitt seria o próximo? (Avise-me se quiser visitar minha igreja, Sr. Pitt.)

Claro que nenhum de nós teria como saber em que, exatamente, West crê. O único "Kanye West" que conhecemos é aquele que vemos nos palcos e nas telas. West tem uma *persona* extravagante; gosta de instigar controvérsia e contrariar expectativas. É possível que sua fase cristã seja só isso: uma fase a ser experimentada antes de começar outra. Não obstante, faz sentido cristãos comemorarem qualquer um que se aproxime de Cristo, mesmo que "seja impossível conhecer o coração de uma pessoa". Os cristãos acreditam que riqueza, sucesso e fãs cheios de admiração não são páreo para as boas-novas da salvação. Histórias de conversão, especialmente histórias dramáticas, são a força motriz da fé evangélica.

No entanto, há outros motivos pelos quais os evangélicos se mostram tão ansiosos para ver celebridades proclamarem Cristo. Quando celebridades se convertem, muitos cristãos sentem que sua fé está sendo validada em âmbitos que parecem hostis ou indiferentes a suas crenças mais profundas. Se os cristãos se enxergam em uma batalha contra a cultura secular, conversões de celebridades mostram que talvez o lado de Deus esteja vencendo, e que cristãos em Hollywood ou nos meios musicais podem exercer influência positiva em lugares "sombrios". Os seguidores de Cristo finalmente têm embaixadores nos altos escalões de poder, nos lugares dos quais os cristãos se sentem excluídos.

Além do mais, conversões de celebridades fazem o cristianismo voltar a parecer descolado.

Uma guerra santa

Antes de Kanye West houve Bob Dylan. É difícil imaginar uma comparação musical mais díspar. E, no entanto, eles têm um elemento em comum: os dois professaram uma conversão cristã sincera e deram testemunho dela em sua música.

Compositor norte-americano mais importante do século 20, Dylan, cujo nome real era Robert Zimmerman, foi educado em uma família judaica em Minnesota. Depois de se mudar para Nova York quando jovem, tornou-se ícone do movimento contra a guerra na década de 1960 e usava imagens bíblicas para expressar protesto nos moldes proféticos. Álbuns aclamados como *Highway 61 Revisited*, *Blonde on Blonde* e *Blood on the Tracks* captaram as turbulentas e empolgantes mudanças políticas do final da década de 1960 e início da década de 1970.

Então, em 1978, diz-se que Dylan começou a participar de um curso bíblico na Capela do Calvário, uma igreja carismática na Califórnia, e foi batizado no Oceano Pacífico. Ele declarou ao *Los Angeles Times*: "Tive, verdadeiramente, a experiência de nascer de novo, por assim dizer. Essa é uma expressão batida, mas é algo com que as pessoas podem se identificar".[6] Seus três álbuns seguintes, *Slow Train Coming* (1979), *Saved* (1980) e *Shot of Love* (1981), se tornaram conhecidos como sua "trilogia nascido de novo". *Slow Train Coming* começa com a canção evangelística "Gotta Serve Somebody" [É preciso servir a alguém]. O roqueiro cristão Larry Norman a recomendou ao presidente Jimmy Carter.

Por volta dessa época, Dylan começou a pregar sermões todas as noites em sua turnê.[7] Em vez de falar da Guerra do Vietnã, começou a falar de uma guerra cósmica entre o bem e o mal que expressava a teologia escatológica da época. "Vou lhes dizer: Jesus está voltando, está mesmo!", ele declarava. "Não há outro caminho para a salvação."[8] Claro que nem todos os seus fãs gostaram. Alguns se sentiram traídos. "Dylan representava a liberdade de opinião, valores antissistema, do tipo 'não sigam os líderes'. E agora ele está seguindo o maior líder de todos", observou o jornalista Michael Simmons.[9] Ao que parece, em um dos shows de Dylan alguém no meio da multidão agitada segurava um cartaz que dizia: "Jesus ama suas canções mais antigas".[10]

Ainda assim, as reações negativas davam testemunho de fé sincera. Afinal, Jesus advertiu seus seguidores de que o mundo zombaria deles e os perseguiria. Na canção "Property of Jesus" [Propriedade de Jesus], Dylan fala de um homem com o qual as pessoas se ofendem e que elas chamam de fracassado por causa de sua fé. Perseguição, Armagedom e guerra espiritual são temas comuns em seus álbuns cristãos. Não é coincidência. Quando ele lançou *The Late Great Planet Earth* e *A Thief In the Night*, o mundo evangélico mais amplo estava obcecado com tudo o que dizia respeito ao fim dos tempos. Acontecimentos nacionais e mundiais eram projetados sobre a Bíblia, e alguns líderes políticos eram representantes óbvios do anticristo.

Dylan abraçou a fé cristã durante o surgimento da direita religiosa. O descontraído "Movimento de Jesus" do final dos anos 1960 e início dos anos 1970 havia se transformado em um grupo de guerreiros com forte envolvimento político na luta pela verdade e pelos valores da família. Anita Bryant lançou sua campanha contra os direitos dos gays em 1977 e, dois anos depois, Jerry Falwell foi um dos fundadores da organização Maioria Moral. O movimento antiaborto estava ganhando força quando líderes republicanos perceberam que podiam usar a questão do aborto para atrair e energizar eleitores evangélicos brancos. Muitos cristãos estavam preocupados com as consequências da revolução sexual: mais divórcios, legalização do aborto, mulheres no mercado de trabalho e direitos de pessoas LGBTQ. Para eles, essas mudanças culturais sinalizavam o declínio moral do país e, possivelmente, a iminência do fim. Como Falwell disse a sua igreja em Lynchburg em 1980: "Estamos lutando em uma guerra santa. [...] Temos de conduzir a nação de volta ao posicionamento moral que tornou a América um país grandioso. [...] Temos de influenciar aqueles que nos governam".[11]

Os cristãos não deviam recuar dessa guerra santa. Deviam permanecer firmes contra as ondas de decadência da cultura mais ampla e reconquistar o país para Deus. Ao mesmo tempo, entendia-se que, para lutar nessa guerra, precisavam adotar as táticas de seus inimigos a fim de obter influência política e cultural. Essa guerra santa seria travada, em última análise, nas urnas e por meio de alianças com figuras públicas, e não, acima de tudo, por discipulado ou pelo testemunho comum da igreja local.

Dylan, por sua vez, criticou a Maioria Moral em 1980. "Creio que as pessoas precisam ter cuidado a esse respeito. [...] É algo bem perigoso."[12] Mas, mesmo sem que Dylan quisesse, sua fé recém-descoberta refletia os interesses de cristãos alienados pelas mudanças culturais. Aaron Sanchez escreve:

> O cristianismo de Dylan tinha menos em comum com o de Jesse Jackson [líder do movimento pelos direitos civis] e mais em comum com o de Jerry Falwell. Encaixava-se confortavelmente nas perspectivas de um cristianismo reacionário que culpava o liberalismo e o movimento de direitos civis pelo declínio religioso, moral e econômico do país. O fim dos tempos estava próximo, e a nação precisava se preparar para a ira de Deus.[13]

A fé adotada por Dylan continua a ser assunto de interesse. Há quem suspeite que ele voltou a suas raízes judaicas em 1983, quando suas letras se tornaram vagamente espirituais e passaram a falar menos de Jesus. Outros, como o biógrafo Scott M. Marshall, consideram que Dylan nunca abandonou o cristianismo inteiramente.[14]

Até hoje, pelo menos três pastores distintos afirmam ter sido os responsáveis por levar Dylan a Cristo.[15] Essa é uma considerável asserção de fama. É emocionante pensar que Deus pode usar você para compartilhar o evangelho com um convertido de tamanho renome. A ligação de um pastor com a celebridade pode transformá-lo em uma minicelebridade. Diz-se que Adam Tyson, pastor de uma pequena igreja da Califórnia, fez estudos bíblicos com Kanye West durante alguns meses. Tyson advertiu West de que seus Cultos de Domingo não eram, verdadeiramente, igreja. Depois disso, West convidou Tyson para pregar em dois desses eventos. A partir de então, Tyson passou a vestir calças jeans skinny em lugar do terno de domingo.[16]

Embaixadores de marcas

Nenhuma narrativa definiu mais os evangélicos brancos dos Estados Unidos ao longo dos últimos cinquenta anos do que a ideia de envolvimento em uma batalha, a "guerra santa" sobre a qual Falwell advertiu. Ser cristãos significa entender que não pertencemos ao mundo, mas que somos odiados por ele. Quanto mais formos insultados e marginalizados, mais forte e pura será nossa fé.

Em certo sentido, essa ideia de batalha é inerente à fé. John Stott, falecido teólogo anglicano, observou que "perseguição é simplesmente o choque entre dois sistemas irreconciliáveis de valores".[17] Jesus disse a seus seguidores que deviam esperar guerra, sofrimento e insultos. Afinal, "o escravo não é maior que seu senhor", e "uma vez que eles me perseguiram, também os perseguirão" (Jo 15.20). De modo semelhante, João, o Evangelista, ensinou aos cristãos primitivos que não deviam se surpreender de ser odiados pelo mundo (1Jo 3.13). Paulo declarou: "Todos que desejam ter uma vida de devoção em Cristo Jesus sofrerão perseguições" (2Tm 3.12). Hoje em dia, bem como em eras passadas, narrativas de martírio dão testemunho do preço de proclamar o nome de Cristo em um mundo hostil.

E, no entanto, em uma época e um lugar relativamente cômodos como os nossos, narrativas de perseguição são assimiladas como parte das intensas guerras culturais mais amplas dos últimos cinquenta anos. Ao contrário de cristãos ao redor do mundo, evangélicos brancos nos Estados Unidos não enfrentam ameaças de morte *em razão de* sua fé. (A história é diferente no caso de cristãos negros, como se vê no martírio de quatro meninas negras mortas por uma bomba na Igreja Batista da Rua 16 em 1963 e das nove pessoas mortas na Igreja Episcopal Metodista Africana Emanuel em 2015. Nessas e em outras horrendas tragédias, afro-americanos foram mortos porque seguiam Jesus. Supremacistas brancos não gostam de um Jesus que deseja libertar os afro-americanos.) Ainda hoje, muitos evangélicos acreditam, compreensivelmente, que correm o risco de perder seu emprego, seu prestígio social ou o edifício em que sua igreja congrega a cada novo governo ou a cada decisão do poder judiciário. Ameaças exteriores são consideradas sinais de verdadeira fé interior.

Políticos e a mídia se aproveitaram dessa percepção de que estamos no meio de uma batalha. No final da década de 1970 e início da década de 1980, Falwell, Paul Weyrich e outros estrategistas políticos usaram essa ideia para mobilizar uma expressiva parcela de eleitores, e os efeitos dessa estratégia ainda foram sentidos nas eleições de 2016 e 2020. Hoje, expoentes da mídia e grupos que defendem esta ou aquela causa ainda expressam conflitos locais como uma guerra que os cristãos estão prestes a perder. A "Guerra contra o Natal" não existe, mas seu poder de gerar medo e raiva *funciona*.

Histórias sensacionalistas de perseguição são bem-sucedidas em parte porque dizem a muitos cristãos aquilo que eles querem ouvir. Como Alan Noble escreve, "Ser um 'perdedor' aos olhos do mundo por amor a Jesus [é], paradoxalmente, o máximo".[18] Aprendi na adolescência que devo almejar ser "diferente por causa de Jesus", ser considerada estranha por meus colegas e chamar a atenção em virtude de minha fé. Se eu não fosse esquisita, significaria que estava me conformando aos padrões seculares. Hoje, os conhecidos filmes da série *Deus não está morto* imaginam um estudante universitário cristão obrigado a assinar uma declaração de que Deus verdadeiramente morreu ou pastores obrigados a entregar os esboços de seu sermão para o governo. As narrativas são bastante literais (nenhum professor universitário obrigaria um aluno a assinar um documento com as palavras "Deus está morto") e banais. "Elas transformam o sofrimento em fetiche", escreve Noble.[19] No entanto, essas narrativas fazem sucesso porque lançam mão explicitamente dos medos dos cristãos brancos sobre o rumo que o país está tomando.

Sim, Jesus disse a seus seguidores que deviam ser diferentes. Os cristãos devem ser luz do mundo e sal da terra. Fazem sua luz brilhar diante de outros. São diferentes das pessoas ao redor. As bem-aventuranças descrevem esse testemunho contracultural. É verdade que muitos de nosso convívio talvez nos rejeitem. No entanto, só porque alguém rejeita crenças cristãs, não significa que os cristãos são vítimas de intolerância. Por certo, essa rejeição não é sinônimo de perseguição. Viver em uma sociedade pluralista significa viver no meio de pessoas com crenças diferentes das suas e que talvez rejeitem suas convicções mais essenciais e preciosas. E viver como cristãos significa amar essas pessoas. Como Stott observou acerca da perseguição, "Não devemos retaliar como faz o incrédulo, nem ficar emburrados como faz a criança, nem lamber nossas feridas, cheios de pena de nós mesmos, como faz o cão".[20] Em resumo, devemos enfrentar todas as dificuldades com *alegria*.

Ainda assim, os últimos quarenta anos deram a muitos cristãos a impressão de que não estão mais na cabeceira da mesa de poder cultural e político. Nem sequer sabem ao certo se têm um lugar à mesa. Sem dúvida, não podem supor que as pessoas de seu convívio (ou os líderes nacionais) consideram a fé cristã normativa. Com o tempo, "os cristãos podem passar a enxergar a vitimização como parte de sua identidade".[21]

Uma sensação avassaladora de perda de poder leva muitos cristãos a se aliarem a líderes fortes, indivíduos que representarão e defenderão a fé nos altos escalões. Na política, essa abordagem significa, obviamente, apoiar líderes que prometam preservar os valores morais cristãos ou defender seus direitos de prestar culto e de agir conforme sua consciência. No âmbito das artes, do entretenimento e da mídia, significa que os cristãos se mostram ansiosos para apoiar pessoas famosas que representem bem sua fé em uma cultura hostil.

Em vez de criticar a cultura de celebridade e o poder dominante de indivíduos em lugar de instituições em nosso tempo, simplesmente adotamos essas ideias, na esperança de encontrar um ícone célebre à nossa semelhança. Em um tempo em que a frequência e a membresia nas igrejas está em queda, cristãos esperam que representantes com megaplataformas virem a mesa. Isso explica por que alguns pastores de megaigrejas se aproximaram de estrelas pop como Justin Bieber, que fala com frequência de sua fé em Cristo. Quando Bieber publica um comentário positivo sobre seus amigos pastores, sobre a Bíblia ou sobre seu casamento, confere legitimidade a uma fé que nós tememos que seja considerada enfadonha ou intolerante. Allie Jones observa que os vínculos públicos de Bieber com a igreja "fizeram pelas megaigrejas pentecostais aquilo que Tom Cruise fez pela cientologia e Madonna pela cabala".[22] Ele é um bom garoto-propaganda da marca cristã.

A aceitação de Kanye West pelos evangélicos não foi, portanto, apenas em razão do valor artístico do álbum *Jesus Is King*. A conversão de West foi uma vitória culturalmente simbólica, um ponto para o lado cristão, contra os incontáveis artistas seculares que adotam valores ímpios. Até mesmo a organização Focus on the Family elogiou *Jesus Is King*. É importante deixar claro, porém, que não foi em virtude dos méritos artísticos da música, mas porque o articulista se empolgou com a ideia de que a conversão de West pudesse influenciar Kardashian e mudar sua forma de se vestir:

> Imagine como seria incrível se uma das mulheres mais famosas do mundo, conhecida por vestir roupas extremamente indiscretas, mudasse de ideia e adotasse um estilo mais recatado como expressão de sua nova fé.[23]

Se Kardashian aceitasse Cristo como West (seu marido na época) havia feito, quem poderia negar a credibilidade do cristianismo ou de seus ensinamentos sobre recato? O poder do reino de Kimye, com valor líquido conjunto estimado de 2,1 bilhões de dólares, não pode ser negado.[24] Se todo o reino de Kimye fosse convertido ao cristianismo, os cristãos teriam uma base de poder em um mundo hostil. (Infelizmente, o reino de Kimye parece ter se desintegrado; enquanto escrevo estas linhas, West e Kardashian estão decididos a se divorciar.)

West, por sua vez, reconheceu abertamente que era porta-voz de Deus. No programa *The Late Late Show* em 2019, disse:

> Deus está me usando como ser humano. [...] Quero dizer com toda humildade que ele está me usando para se exibir. Ano passado, recebi 115 milhões de dólares e, ainda assim, terminei o ano com uma dívida de 35 milhões. Este ano, fui verificar minha restituição de imposto de renda e descobri que tinha 68 milhões para receber. E as pessoas dizem: "Cara, não fale desses números". Não, as pessoas precisam ouvir alguém que foi levado pelo sistema a fazer dívidas, precisam ouvir esse indivíduo falar desses números agora que ele está a serviço de Cristo.[25]

Para West, com toda humildade que lhe é possível, essa considerável restituição do imposto de renda foi sinal do favor de Deus. Cristo não apenas o tornou famoso, mas também o tornou rico, tudo para a glória de Cristo. É apropriado que West tenha se associado ao pregador de teologia da prosperidade Joel Osteen e ao ex-presidente Donald Trump, que, com frequência, conta vantagem de seus supostos milhões. Para esses e outros ícones singularmente americanos, riqueza e fama são sinais de bênção e poder inigualáveis. São atraentes para pessoas que se sentem culturalmente marginalizadas e enfrentam injustiça sistêmica ou, simplesmente, as dificuldades da vida. Nas áreas em que nos sentimos fracos, eles são fortes.

Evangélicos, que se consideram especialmente desinvestidos de poder pelas mudanças culturais dos últimos cinquenta anos, comemoram de forma desmedida essas conversões de celebridades. "Comemoramos uma conversão *porque diz algo a respeito da legitimidade daquilo em que cremos.* Não nos sentimos tão 'marginalizados' ou 'esdrúxulos' quando uma celebridade respeitada nos dá um aceno de reconhecimento. [...] Uma vez que o mundo diz que celebridades 'valem mais', imaginamos que sua conversão também valha mais".[26]

Torne o cristianismo descolado outra vez

Por mais que os evangélicos acreditem que devem ser diferentes do mundo, também querem fazer parte dele. Esse desejo está presente no *éthos* dos evangélicos desde, no mínimo, a década de 1940, depois que eles se distanciaram de seus primos separatistas no grande cisma modernista-fundamentalista. Evangélicos asseveram a autoridade das Escrituras, a necessidade de conversão e os credos históricos. Desse modo, apegam-se firmemente aos "fundamentos" e rejeitam as adaptações culturais dos modernistas, especialmente quanto a sua interpretação das Escrituras à luz de descobertas científicas modernas e mudanças na ética sexual.

Ao contrário dos fundamentalistas, porém, os evangélicos se mostram ansiosos para tratar das questões sociais da atualidade, para mostrar que o cristianismo é relevante para todas as dimensões da vida e do pensamento modernos. Se você já ouviu as palavras "no mundo, mas não do mundo", entende os dois polos da consciência evangélica. Os evangélicos desejam ser separados *e* respeitados, ainda que nem sempre inteiramente aceitos.

Essa ideia de estar no mundo mas não ser do mundo produziu alguns resultados estranhos. Uma qualidade característica de muitas formas evangélicas de educar os filhos consistia em trocar os CDs seculares por seus equivalentes cristãos. Adeus Alanis Morissette, olá Rebecca St. James. Na época, havia grande satisfação em perceber que Rebecca era tão descolada (quer dizer, quase tão descolada) quanto Alanis. Ser cristão não significava que era preciso abrir mão de *bom gosto* ou deixar de ser descolado, fatores importantes em qualquer escola de ensino médio. Em vez de ouvir hinos, eu podia curtir letras de músicas confessionais que se pareciam com os maiores sucessos do rádio. Nunca vou me esquecer da sensação de triunfo que tive quando disse a meu namorado no ensino médio (o ateísta que mencionei anteriormente) que a banda punk MxPx era cristã. (É verdade que o conteúdo explicitamente cristão aparece mais claramente em seus primeiros álbuns, produzidos pelo estúdio independente Tooth & Nail.) Ele ficou horrorizado e eu, feliz da vida: um *ateísta* ouvia cristãos sem saber. Te peguei!

O movimento eclesiástico voltado para aqueles que buscavam alguma forma de espiritualidade nasceu do desejo de ser evangelístico e culturalmente relevante. Quando minha igreja metodista passava trechos de filmes no culto de domingo, mostrava para os visitantes que nós também gostávamos dos sucessos de bilheteria de Hollywood. (Tantos anos depois, ainda não sei muito bem de que maneira *O expresso polar* reflete o evangelho.) O Summit de Liderança Mundial organizado pela Willow Creek mostra que os cristãos podem estar na vanguarda da liderança e da inovação organizacional. Não é preciso deixar a inteligência ou o estilo do lado de fora da igreja.

O mesmo se aplica à tendência do "cristianismo hipster" sobre a qual Brett McCracken escreveu em 2010. Jovens cristãos se rebelaram contra o kitsch evangélico de sua infância e quiseram mostrar para seus colegas que cristãos podiam falar palavrões, ter tatuagens, assistir a filmes para maiores de 18 anos e tomar um bom café e uma boa cerveja artesanal.[27] Em lugar dos hinos antiquíssimos, adotaram o rock do U2 (que, hoje em dia, toca nas megaigrejas de bairros de classe alta de seus pais). Não sei ao certo se o cristianismo hipster (1) ainda está na moda e (2) é uma tentativa de ter relevância cultural, ou se simplesmente são cristãos vivenciando sua juventude em centros urbanos. Ainda assim, igrejas voltadas para o público hipster certamente têm esperança de mostrar que nem todos os cristãos são bregas. (A menos que você esteja tentando apresentar uma estética brega irônica.)

Hoje, igrejas descoladas usam roupas de grife, música bem produzida e amigos-celebridades para atrair membros da Geração do Milênio e da Geração Z que, em outras circunstâncias, evitam igrejas tradicionais. A Zoe Church, em Los Angeles; a Vous Church, em Miami; a Churchome, no estado de Washington; e as congregações Hillsong espalhadas por todo o mundo usam design moderno para fazer a igreja parecer um clube noturno. "No passado, ser cristão evangélico era ser como Kirk Cameron ou Jeff Foxworthy, velho e irrelevante, limitado a filmes de segunda categoria feitos para a televisão", escreve Laura Turner. "No entanto, há um esforço por parte de igrejas como Zoe e Hillsong (provavelmente mais inconsciente do que intencional) de tornar o cristianismo acessível, descolado e interessante para os jovens."[28]

Claro que você provavelmente conhece melhor o nome dos pastores (e o nome das celebridades que são amigas deles) do que o nome das igrejas. Chad Veach, da Zoe Church, pastoreia o conhecido ator Chris Pratt e sua esposa Katherine Schwarzenegger. Judah Smith, da Churchome, é capelão do time de futebol americano Seattle Seahawks, e Russell Wilson e a cantora pop Ciara Wilson frequentam sua igreja. Rich Wilkerson Jr., da

Vous Church, fez o casamento de West e Kardashian. E Carl Lentz, ex-pastor da Hillsong de Nova York, pastoreou Selena Gomez, Kevin Durant, Nick Jonas e Kylie Jenner. Todos esses pastores têm raízes pentecostais. Mas, se eles têm um santo padroeiro, seu nome é Justin Bieber.

Bieber, cantor vencedor de prêmios Grammy que tem mais de duzentos milhões de seguidores no Instagram, expressa bem o desejo dos evangélicos de recrutar porta-vozes para o cristianismo descolado. O canadense que se tornou ídolo dos adolescentes aos 14 anos fala de Jesus abertamente e com frequência. Em uma reportagem hoje icônica sobre a Hillsong, a jornalista Taffy Brodesser-Akner conta uma história clássica de transformação pessoal: Bieber, que passava por uma fase difícil por volta de 2010, telefonou aos prantos para seu amigo Lentz. Depois de orarem juntos, Bieber teve forte consciência do amor de Deus e pediu para ser batizado naquela noite. Lentz telefonou para seu amigo Tyson Chandler, ex-jogador de basquete do New York Knicks, e perguntou se podiam usar a banheira de sua mansão em Upper West Side.[29] Quando Bieber saiu da banheira do jogador da NBA, dedicou sua vida a Cristo. Bieber e sua esposa, a modelo Hailey Baldwin, foram batizados juntos (outra vez) em 2020 e declaram expressamente que Jesus é o centro de seu casamento.[30]

Uma foto de 2018 de Bieber cheio de tatuagens, olhando para a Bíblia aberta em seu colo, com a legenda "Uau!" recebeu mais de oito milhões de curtidas no Instagram.[31] Há algo de verdadeiramente raro na fé autêntica divulgada nesse nível, por alguém com tanto prestígio cultural. Em uma era centrada na celebridade, faz sentido cristãos comuns terem esperança de que a adoção de sua fé por Bieber possa reformular as estruturas de plausibilidade de alguns fãs. Por certo, uma postagem do Instagram não levará muita gente à igreja. Mas talvez faça alguns repensarem a "marca" cristã. Se jovens desejam continuar a ser descolados, e se eles veem por meio de Bieber, Baldwin, West e outros que os cristãos são os mais descolados dos descolados, talvez reconsiderem o cristianismo.

No entanto, depender de celebridades para representar a fé é uma abordagem acompanhada do risco de essas pessoas a representarem de maneira indevida. Sempre existe a possibilidade de renegarem a fé ou de prejudicarem sua reputação. Houve quem desaprovasse, por exemplo, os vínculos entre West e Trump (com o qual West afirma ter em comum uma "energia de dragão"), bem como o comentário dele de que os quatrocentos anos de escravidão nos Estados Unidos "parecem ter sido uma escolha".[32] Bob Dylan parou de escrever letras confessionais e de pregar nas turnês há várias décadas. Os Jonas Brothers não usam mais seus anéis de pureza e deixaram para trás sua imagem impecável. Além disso, uma porção de atores de Hollywood e músicos pop que se dizem cristãos não caberiam dentro dos limites éticos definidos pelo evangelicalismo branco (ao fazer cenas de nudez, por exemplo, ou divorciar-se e casar-se novamente). Se os evangélicos estiverem à procura de um embaixador para sua marca, que fale e vivencie sua fé exatamente da mesma forma que eles, vão se decepcionar.

Qualquer celebridade que pratique sua fé debaixo dos holofotes precisa de graça. Recém-convertidos cometem erros ao longo do processo de crescimento na fé. E, no entanto, em uma inversão daquilo que poderíamos esperar, foi Bieber que teve de se distanciar de seu pastor e não o pastor que teve de se distanciar da estrela pop outrora conhecida como garoto rebelde. Depois que a infidelidade de Lentz veio à tona, Bieber anunciou que não frequenta mais a Hillsong e se mudou para a Churchome. Ele e Baldwin pararam de seguir Lentz no Instagram, uma excomunhão digital de proporções épicas.[33] E foi Bieber que saiu dessa confusão toda parecendo um líder espiritual equilibrado. No início de 2021, ele disse à revista *GQ*:

> Acho que muitos pastores se colocam em um pedestal. E o que acaba acontecendo é que a igreja pode existir em torno do homem, do pastor, do cara e, tipo, "*esse* cara tem o relacionamento máximo com Deus que a gente quer ter, mas não consegue, porque a gente não é *esse* cara". Mas não é essa a realidade. A realidade é que todo ser humano tem o mesmo acesso a Deus.[34]

Além do mais, o que leva os cristãos a imaginar que a fé é uma questão de ser descolado? De certa forma, a esperança de se associar a cristãos de Hollywood é outra forma de os evangélicos acumularem poder. Se a direita religiosa se associou a políticos poderosos a fim de proteger a fé nos corredores do Congresso, líderes evangélicos que se associam a celebridades cristãs estão em busca do "poder brando da influência de Hollywood".[35] A essa altura, já vimos o rasto de destruição deixado pelos esforços da direita religiosa: alianças com políticos moralmente falidos, testemunho público prejudicado e membros da Geração do Milênio que se sentem traídos pela geração de seus pais e não querem nada com sua fé.

A geração seguinte da igreja se sairá melhor se abandonar a fixação em credibilidade cultural e buscar a fidelidade cotidiana. Antes de termos a expectativa de convencer outros fora da comunidade de fé que somos relevantes, precisamos fazer uma faxina interna.

8

O Messias obscuro e a fidelidade cotidiana

Quando olho para a ampla gama de figuras cristãs de minha fé adolescente, sinto-me extremamente velha. Não só porque as calças jeans de cós baixo que estavam na moda naquela época não me servem mais (#vivaomoletom). Não só porque minhas preferências de músicas e filmes amadureceram ao longo de vinte anos (embora eu sempre vá gostar de *Jesus Freak* do DC Talk). O principal motivo pelo qual me sinto velha é que a glória de tantos músicos, palestrantes, pastores e autores que definiram o movimento evangélico de minha juventude desvaneceu. Alguns simplesmente saíram de cena e escolheram investir na família ou em uma carreira comum. Alguns, como Joshua Harris e Jonathan Steingard, vocalista do grupo Hawk Nelson, renunciaram a fé publicamente. Outros, como Ravi Zacharias, se mostraram o oposto dos líderes admiráveis que pensávamos que fossem. A cultura evangélica branca do final da década de 1990, com pulseiras "O que Jesus faria?", pinturas de Thomas Kinkade e baterias giratórias do grupo Newsboys, parece algo de um passado muito distante.

De lá para cá, muita gente de minha idade também abandonou a fé. Para alguns, o cristianismo nunca foi mais profundo do que uma marca de identidade. Uma vez que as complexidades da vida, as dúvidas e o sofrimento batem à porta, a fé que lhes foi ensinada parece superficial, uma crença que precisa ser trocada por algo mais firme. Outros seguiram seus antigos heróis e deixaram a igreja. Se a fé de uma pessoa foi selada por uma celebridade, faz sentido que também pudesse naufragar por causa de uma celebridade. Outros sofreram abusos de vários tipos nas mãos de instituições cristãs e de seus líderes. Ainda outros se apegam firmemente a Jesus, mas não querem ter nenhuma ligação com as dimensões raciais, culturais e políticas do evangelicalismo branco americano. "Desconversão" e "detox da fé" são temas da moda entre pessoas de minha geração.

Diante de tudo isso, há ocasiões em que me pergunto por que ainda sou cristã. Que elementos daquela fé inicial, especialmente com seus adereços bobos do tempo do grupo de jovens, floresceram e se tornaram uma decisão capaz de sobreviver a dúvidas, perdas de sonhos e pressões culturais? Claro que a fé é um dom da graça (Ef 2.8-10). Nem eu, nem meus pais, nem o pastor de jovens, nem Geoff Moore e a banda Distance ou Rebecca St. James poderíamos ter feito ou deixado de fazer alguma coisa sem a obra de Deus em Cristo para me manter fiel. Encaro quase todos os dias com uma forte consciência de que o cristianismo me escolheu, e não o contrário.

Ainda assim, se eu precisasse identificar um elemento definidor que tornou a fé cristã atraente, plausível e *real* para mim, minha resposta seria: outros cristãos. Não estou falando de líderes ou figuras importantes específicas que ensinavam ou pregavam em um palco ou em um telão distante. Por certo, não foram estudiosos da Bíblia famosos ou influenciadores nas redes sociais, nem mesmo aqueles cujos textos e ensinamentos certamente enriqueceram minha vida. Estou falando de outros seres humanos comuns e imperfeitos que procuram descobrir o que significa, na prática, amar a Deus e ao próximo, um dia após o outro, sem espalhafato, sem aclamação.

Não me refiro às pessoas que procuram "evangelizar por meio de seu modo de vida". As pessoas que tenho em mente não buscam estratégias, planos ou resultados. Sua mão esquerda não sabe o que a mão direita está fazendo. Simplesmente veem sua vida ser tomada por uma realidade eterna maior que elas próprias e vivem de acordo com a percepção de que pequenos atos de amor nesta vida têm enorme relevância na vida por vir.

O que torna o cristianismo — e, mais especificamente, Cristo — real para mim são os ícones vivos ao meu redor.

O termo "ícone" vem do grego *eikōn*, que significa "semelhança" ou "imagem". Todos os seres humanos são portadores da imagem de Deus. Todos os seres humanos, debaixo do poder do pecado, também desfiguram a imagem de Deus em si mesmos e nos outros. E todos os seres humanos redimidos em Cristo, "a imagem do Deus invisível [...] supremo sobre toda a criação" (Cl 1.15), estão sendo restaurados a seu resplendor pretendido. Deus está fazendo novas todas as coisas (Ap 21.5), e o magnífico plano divino de restauração começa conosco.

Os ícones, em seu uso tradicional, são representações artísticas de pessoas que refletiram a imagem de Cristo com resplendor especial. Em tradições ortodoxas orientais e em algumas tradições ocidentais, contemplar a pintura de um santo ou de uma figura bíblica pode ser um auxílio na adoração. Não adoramos o objeto físico; antes, usamos o objeto para focalizar a atenção em Cristo e na vida do mundo por vir.

Dificilmente evangélicos adotarão ícones como parte de suas práticas devocionais no futuro próximo. No entanto, é bom e apropriado honrar pessoas, tanto do passado quanto do presente, por refletirem bem a imagem de Cristo. Evidentemente, as pessoas em minha vida que refletem Cristo não se consideram ícones. A obra oculta de Deus em sua vida é exatamente isso: oculta. A maior parte do tempo, essas pessoas têm forte consciência do quanto ficam aquém do resplendor, de como a obra interior de transformação parece caminhar lentamente. Ano após ano, talvez se perguntem se estão crescendo, tendo em conta a persistência de hábitos de orgulho, ira ou gratificação de desejos. Muitas vezes, porém, temos mais facilidade de ver coisas boas em outros do que em nós mesmos. Sou extremamente grata pelas coisas boas que vejo nessas pessoas.

Primeiro, vêm à memória meus pais, que apresentei no capítulo 4 ao falar de sua frugalidade típica do centro-oeste. Tim e Karen Beaty são casados há mais de quarenta anos, moram na mesma casa térrea de três quartos há mais de trinta anos e são membros da igreja metodista da qual participei por mais de 25 anos. Nem é preciso dizer que eles são pessoas que permanecem firmes na longa jornada, apesar das frustrações e dos desafios (sei de alguns deles, mas não de todos). Eles mostram para mim a dádiva da fidelidade.

Vem à mente, também, o pastor de cuja igreja em Chicago eu participei quando era mais jovem e que foi exemplo para mim de como apegar-se à convicção cristã de modo gentil, e não com ódio. Penso em uma amiga que mantém o coração aberto para a possibilidade de um filho quando talvez pareça mais seguro colocar de lado a esperança. Penso em outra amiga que foi lançada nas águas escuras da tristeza depois da morte precoce de seu marido e que, ainda assim, irradia alegria quando essa é a última coisa que esperamos dela. Ainda outra amiga vem à memória, uma pessoa simplesmente generosa em sua atenção nas conversas, ansiosa para acolher outros, atenta para qualquer um que possa ser excluído e que precise de relacionamentos. Outra amiga encontrou na igreja um abrigo seguro durante sua infância traumática e, hoje, ao pastorear uma igreja, dirige-a para que cuide dos traumatizados e marginalizados.

Essas e outras pessoas tornam Cristo real para mim, não por meio de demonstrações dramáticas ou vistosas que atraem elogios e atenção e geram postagens em redes sociais. A realidade de sua fé é formada em longo prazo, em atos e escolhas cotidianos, em posturas do coração, um dia após o outro. Juntos, esses atos formam o conteúdo de sua vida e da vida cristã. Aliás, assim é a vida cristã para a maioria de nós, e assim ela tem sido para quase todos os cristãos ao longo dos últimos dois mil anos. Temos apenas um vislumbre da soma do testemunho de todos os santos. Ela permanece oculta, como a santidade foi criada para ser. Assim que tentamos projetar uma imagem para obter reconhecimento ou credibilidade, a santidade perde parte de seu brilho.

Todo o aparato da igreja existe para nos tornar santos, para nos tornar "pequenos Cristos". Formar "pequenos Cristos" (expressão que costuma ser atribuída a Lutero) é o objetivo do discipulado. C. S. Lewis escreveu em *Cristianismo puro e simples*:

> A igreja não existe para outra coisa senão para atrair pessoas para Cristo, para torná-las pequenos Cristos. Se não é isso que fazem as catedrais, o clero, as missões, os sermões e até a própria Bíblia, são simplesmente perda de tempo. Deus não tinha nenhum outro propósito quando se tornou Homem. Aliás, é até mesmo de se duvidar que o universo todo tenha sido criado com qualquer outra finalidade.[1]

De acordo com Lewis, a igreja não existe para se expandir em edifícios, orçamentos e traseiros nos bancos. Não existe para provar que o cristianismo é descolado, crível ou naturalmente atraente. Existe para transformar pessoas em pequenos Cristos. Podemos dizer que a mentalidade de crescimento que permeia boa parte da igreja contemporânea nos distraiu do alvo principal. Crescimento em tamanho muitas vezes suplantou crescimento em santidade; ao longo do tempo, essa ênfase justificou sutilmente meios que se mostraram "eficazes" para obter o crescimento, e a celebridade está próxima do topo da lista de estratégias.

Mas e se Deus preferir uma igreja menor, constituída de pessoas que, ano após ano, se tornam mais semelhantes a Cristo, em lugar de todas as megaigrejas do mundo cheias de pessoas ali presentes para ser entretidas ou para ter supostas necessidades supridas? Será que *nós* seríamos capazes de aceitar uma igreja menor, mas espiritualmente mais vigorosa?

Leitores com a expectativa de que o capítulo final deste livro ofereça uma solução para o problema da celebridade (ou pelo menos uma solução programática e fácil de implementar) ficarão decepcionados e, talvez, um tanto aborrecidos. *Gente, que livro mais negativo! Você só vai se queixar do problema, sem tentar consertá-lo?* É verdade que, ao longo de todo o livro, sugeri algumas atitudes e práticas que podem reduzir os piores efeitos do poder social sem proximidade. Ressaltei a necessidade de estruturas de prestação de contas em todas as igrejas e organizações e para todos os líderes. Apontei que líderes cristãos devem estar abertos para a possibilidade de sair de cena, deixar os holofotes e ouvir as considerações honestas de amigos e colegas. Chamei as editoras e os autores cristãos a se colocarem em um patamar superior ao Todo-Poderoso Dinheiro.

Além disso, provavelmente não é má ideia submeter a testes psicológicos todos que desejam ingressar no ministério. Espero que parte daquilo que escrevi e relatei inspire novas ideias para os leitores a respeito de como tratar a celebridade em seu contexto específico.

Se, contudo, desejamos tratar da celebridade por meio de uma solução pronta que possa ser vendida e implementada por vários canais (especialmente uma solução que, por acaso, transforme em celebridade a mim ou qualquer outro que a ensine!), voltamos a nosso ponto de partida. Se imaginamos que podemos mitigar os efeitos tóxicos da celebridade com estratégia, planejamento e esforço, mostramos o quanto adotamos os mitos seculares sobre agência e controle humanos. O problema da celebridade não será resolvido de forma programática. Não encontraremos artigos na internet com o título: "Dez truques surpreendentes para acabar com a celebridade, que revela a propensão do coração humano de criar ídolos e abusar do poder". Assim que tentamos "gerenciar" a celebridade, tornamo-nos semelhantes a Bilbo Bolseiro. Se imaginamos que podemos usar o anel de tempos em tempos, apenas quando necessário ou quando atenderá a um bom propósito maior, não temos consciência do quanto ele nos transforma em outra pessoa, ou outra coisa, assustadora e inumana.

Não há programa que nos tire dessa saia justa. Não há programa que trate do problema da celebridade. Há somente uma Pessoa. E, felizmente, essa Pessoa sabe muito bem como é lutar com a tentação do poder que o mundo oferece.

A tentação do poder

Jesus de Nazaré é a pessoa mais famosa que já existiu. Em dois milênios, a comunidade espiritual fundada em seu nome se tornou a maior do mundo. O cristianismo começou no primeiro século como uma pequena seita do judaísmo. Hoje, mais de 30% dos 7,3 bilhões de pessoas no mundo são cristãos.[2]

O teólogo ortodoxo Jaroslav Pelikan escreve que Jesus "é a figura de maior destaque da história da cultura ocidental há quase vinte séculos. Se fosse possível, com alguma espécie de imã gigante, puxar da história todos os pedaços de metal que trazem pelo menos um vestígio de seu nome, quanto restaria?".[3] De acordo com Pelikan, em diferentes contextos culturais, Jesus foi adotado como rabino, Rei dos reis, Luz dos gentios, Libertador e Príncipe da paz, dependendo do meio cultural em diferentes épocas e lugares. Dallas Willard observa em sua obra *A conspiração divina*:

> Hoje, em incontáveis pinturas, estátuas e edifícios, em literatura e história, em personalidades e instituições, em profanidades, canções populares e mídia de entretenimento, em confissão e controvérsia, em lenda e ritual — Jesus se encontra serenamente no centro do mundo contemporâneo, como ele mesmo predisse.[4]

Ao olhar para a vida terrena de Jesus, seria impossível prever seu legado. Ele começou de forma nada auspiciosa. Nasceu em uma estrebaria, filho de mãe adolescente e de pai carpinteiro sobrecarregado com suas circunstâncias. Nazaré era uma aldeia quase esquecida na Galileia, que por sua vez era uma região de pouca importância no Império Romano. Israel ficava na periferia de um vasto império. E Jesus não se parecia em nada com seus governantes.

Passou os primeiros trinta anos de sua vida na obscuridade. Como Willard observa, depois que José morreu, Jesus se tornou carpinteiro, trabalhador braçal. As Escrituras dizem:

"Não havia nada de belo nem majestoso em sua aparência, nada que nos atraísse" (Is 53.2). O fato de sua aparência não ser mencionada nos Evangelhos indica que não tinha nada de extraordinário. Quando ele começou a ministrar em público, não foi na sede de poder cultural e político. Antes, começou em Cafarnaum e Betsaida, "os lugares mais remotos da vida judaica na Palestina", e não "nas luzes brilhantes de Jerusalém".[5]

Mesmo nesses locais, César Augusto e Tibério César eram nomes de considerável importância. Augusto era o imperador romano quando Jesus nasceu. Seu poder militar era grande o suficiente para transtornar a vida de Jesus mesmo antes de seu nascimento, pois ele decretou um censo no mundo romano que obrigou Maria e José a viajarem para Belém. Quando Augusto morreu, foi venerado como deus, como seu tio-avô Júlio César havia sido. Tibério César, que governou durante boa parte da vida e do ministério de Jesus, também era considerado divino. Sua imagem estava presente em muitas moedas (denários) usadas em todo o império. Os denários o tornaram uma espécie de protocelebridade e levaram sua imagem muito além dos limites físicos do palácio imperial.

Cada moeda do império lembrava os cidadãos a quem deviam lealdade. Era uma asserção de direito político e também de direito espiritual. Apesar das multidões que se reuniam em torno de Jesus e de seus discípulos, é pouco provável que César soubesse da existência de Jesus. Mas Jesus sabia da existência de César e sabia de seu poder amplo, com ares de divindade. Por isso foi tão inquietante quando Jesus deu a entender que César *não* era Deus e que o poder de César era deste mundo e, portanto, seria devolvido para ele. Como Andy Crouch escreve, parafraseando Marcos 12.17: "Deem de volta a César a moeda de seu reino [...] e deem a Deus tudo, ou todos, que têm sua imagem".[6] Deixe que César fique com seu reino, pois ele é passageiro.

Ainda assim, Jesus sabia do que poder como o de César era capaz, como podia até ser usado para bons propósitos. Essa é uma das grandes tentações do poder: leva-nos a imaginar que pode ser usado como ferramenta sem que nos influencie e, por fim, nos desfigure quando o usamos. Jesus sentiu essa tentação na pele. Antes de começar a ministrar em público, foi sozinho para o deserto a fim de jejuar e orar. Ali, Satanás se aproveitou da fraqueza e do isolamento de Jesus e lhe apareceu três vezes. Tentou Jesus para que transformasse pedras em pão, para que saltasse do alto do templo e para que se curvasse diante dele em troca de todos os reinos do mundo.

Uma forma de entender essas três tentações é vê-las como maneiras pelas quais Jesus poderia ter assumido poder fora dos planos de Deus. Henri Nouwen, o escritor católico mencionado no capítulo 6, diz que estas são as três tentações do líder cristão:

1. A tentação de ser *relevante*. Na proposta para que Jesus transforme pedras em pão, ele é tentado não apenas a prover para si mesmo, mas a "realizar uma ação que leve as pessoas a perceber que fazemos diferença para melhor em sua vida".
2. A tentação de ser *espetacular*. Na proposta para que Jesus se atire do ponto mais alto do templo e peça que anjos o salvem, ele é tentado "a atrair milhares de pessoas", como um mágico ou artista que deslumbra e entretém a multidão.
3. A tentação de ser *poderoso*. Na proposta para que Jesus se curve diante de Satanás, ele é tentado a governar os reinos

do mundo em seu esplendor. Chama a atenção o que Nouwen escreve sobre a tentação do poder: "Ela é maior quando a intimidade é uma ameaça. Parte considerável da liderança cristã é exercida por pessoas que não sabem como desenvolver relacionamentos próximos saudáveis e, em lugar deles, escolhem poder e controle".[7]

Plenamente Deus e plenamente homem, Jesus se identifica com a atração que o poder do mundo exerce sobre nós e com o desejo que temos de obtê-lo, de adotar mecanismos e padrões seculares para cumprir os propósitos do reino. Ele foi tentado de todas as maneiras que nós somos (Hb 4.15), mas escolheu o caminho melhor. Eugene Peterson observa que, para o Filho de Deus, a última tentação deve ter sido especialmente forte, pois ele era a pessoa *mais* qualificada de todas para governar o mundo:

> Que oferta! Quem poderia ser mais qualificado? Eis a oportunidade de estabelecer um reino de paz, justiça e prosperidade. Criar um governo sem corrupção. Mas é claro que teria de ser nos termos do diabo, um governo condicionado pelo *se* profano: "Se você se curvar e me adorar". O caminho do diabo seria absolutamente perfeito em suas funções, mas não teria relacionamentos pessoais.[8]

Peterson resume a prova pela qual Jesus passou no deserto: "Nas três grandes negativas, Jesus se recusa a fazer coisas boas do jeito errado".[9] Alimentar pessoas, evangelizar por meio de milagres e governar o mundo com justiça são coisas boas em si mesmas. No entanto, a recusa de Jesus em ceder mostra que não podemos fazer coisas certas de maneiras erradas e esperar que os fins justifiquem os meios. *Como* fazemos as coisas do reino importa. A obediência às maneiras pelas quais Deus concretiza o reino é o único caminho, mesmo que essas maneiras pareçam pequenas, obscuras e fracas. Mesmo que ninguém note. Mesmo que nosso trabalho do reino não possa ser resumido e apresentado em uma postagem inspiradora nas redes sociais. Alguém que deseje sinceramente fazer grandes coisas para Deus pode ter todas as motivações corretas, mas todos os mecanismos errados. A obediência a Jesus mostra que os mecanismos importam; se buscarmos fins piedosos por meios ímpios, todo o projeto será arruinado.

Como antídoto para a tentação do poder do mundo, Jesus escolheu, com frequência, a obscuridade. Ingressou no ministério no fim do segundo tempo e "desperdiçou" dons e conhecimentos extraordinários enquanto trabalhava como carpinteiro. Era visto em público com pessoas que prejudicavam sua imagem na sociedade: prostitutas, cobradores de impostos, enfermos e portadores de deficiências. Seus discípulos eram um bando de sujeitos de todo tipo, não muito impressionantes nem atraentes. E quem poderia imaginar uma morte mais obscura e ignóbil? Jesus foi abandonado por seus amigos mais queridos e julgado com base em testemunhos falsos, foi objeto de zombaria, sofreu açoites e, por fim, foi pendurado em um madeiro entre dois criminosos. Que tentação avassaladora deve ter sido, naquelas últimas horas brutais, assumir o controle da situação e reagir ao poder dos governantes injustos e das multidões zombadoras com seu poder tão imensamente superior. Em vez disso, ao se sujeitar à vontade de Deus, ele "humilhou-se e foi obediente até a morte, e morte de cruz" (Fp 2.8).

Depois da crucificação de Jesus, seu ministério pode ter parecido um fracasso total. Que fim absurdo para uma vida. Os discípulos estavam tristes e assustados, talvez um tanto envergonhados porque seu líder espiritual havia sido morto e seu projeto espiritual não tinha dado em nada. E, no entanto, por meio da cruz, "Deus o elevou ao lugar de mais alta honra e lhe deu o nome que está acima de todos os nomes, para que, ao nome de Jesus, todo joelho se dobre, nos céus, na terra e debaixo da terra, e toda língua declare que Jesus Cristo é Senhor, para a glória de Deus, o Pai" (Fp 2.9-11). O poder de governar todas as coisas *foi* concedido ao Jesus ressurreto, mas somente depois que ele percorreu os caminhos misteriosos e invertidos traçados por Deus.

Em última análise, a celebridade é uma forma de poder do mundo e uma forma de medir o valor humano. Não é uma ferramenta espiritualmente neutra que pode ser usada e depois colocada de lado, mesmo em projetos nobres. Assim que a celebridade é adotada e adaptada para propósitos nobres, como compartilhar as boas-novas e convidar outros a participar da vida copiosa do reino, ela altera o projeto. E ela nos altera.

Nesta época em que partes extensas da igreja apenas imitam conceitos seculares de poder e correm atrás de coisas cada vez maiores, mais chamativas e mais esplendorosas, temos de voltar àquilo que é pequeno e discreto, às coisas simples, comuns e que não estão na moda. A obscuridade pode muito bem ser a disciplina espiritual que a igreja contemporânea mais precisa praticar durante os próximos cem anos. A fim de nos desintoxicar dos efeitos da celebridade em nosso meio e preservar o conceito contracultural de poder do cristianismo, precisamos resgatar uma visão de fidelidade cotidiana, uma visão da vida cristã que consiste, do começo ao fim, na formação de "pequenos Cristos". Em tudo isso, temos de praticar a *proximidade*, valorizar relacionamentos de carne e osso em lugar de relacionamentos mediados, escolher intimidade em lugar de multidões de fãs, e mostrar a outros os verdadeiros contornos de nossa vida nos bastidores, onde nossas vulnerabilidades e fraquezas são visíveis. A única maneira de seguir a Cristo é caminhar juntos, lado a lado, em direção à "verdadeira vida" (1Tm 6.19).

A fim de subir, temos de descer, e muito, até nos sentirmos desconfortáveis. Foi esse o caminho que Jesus, o Filho de Deus, escolheu trilhar. "Ele tinha uma forma diferente de usar poder no mundo, uma forma que permanece enquanto todos os imperadores passam, o que inclui os imperadores cristãos", observa Crouch.[10] Por que nós, discípulos de Jesus, imaginaríamos que podemos escolher outro caminho?

Uma vida obscura

Nada disso é novo. Fico feliz de não ter nada inédito para oferecer ao tratar do problema de celebridade. (Não vou reformatar este livro como um pacote de desintoxicação de celebridade para iniciantes.) Durante décadas, autores como Eugene Peterson, Dallas Willard, Richard Foster, Ruth Haley Barton e Henri Nouwen nos chamaram, cada um à sua maneira, a viver uma vida cristã de integridade, humildade e simplicidade. E, ao fazê-lo, não reinventaram a roda. Apenas garimparam e entregaram para nós as riquezas da tradição cristã, aplicando à nossa era frenética e fragmentada a sabedoria de Agostinho de Hipona, Felicidade e Perpétua, Inácio de Loiola, Teresa de Ávila, François Fénelon, Dietrich Bonhoeffer, Howard Thurman e Thomas Merton, entre muitos outros.

Foram como vozes que clamam no deserto, convocando a igreja a se despir dos paramentos de tamanho, espetáculo e sensacionalismo e exortando-a a adotar a fidelidade cotidiana na vida individual e comunitária. Chamaram líderes cristãos de volta à vocação fundamental de pastorear almas, o que requer intimidade e conhecimento, duas coisas que o movimento de crescimento da igreja impede, em grande medida, de se desenvolverem. E, embora os profetas citados acima tenham publicado livros, recebido prêmios e convites para dar palestras e agora sejam nomes bastante conhecidos entre os evangélicos, eles resistiram, em grande medida, a usar a mídia para receber atenção, a cultivar uma marca cuidadosamente elaborada e a correr atrás de um estilo de vida de luxo. Poucos de nós poderíamos fazer o mesmo.

Mas, sem dúvida, podemos prestar mais atenção neles quando advertiram a igreja sobre sua relação próxima com a celebridade. Talvez não sejam profetas que clamam no deserto. Afinal, estão em nossas livrarias e são citados em nossos sermões. Nós simplesmente não quisemos lhes dar ouvidos.

Andy Crouch, ao refletir sobre o podcast *Ascensão e queda de Mars Hill*, comentou comigo em uma entrevista:

> Enquanto Mark Driscoll ganhava cada vez mais força e fazia coisas cada vez mais ultrajantes [...] Eugene Peterson escrevia sobre o pastorado, Dallas Willard escrevia, dava palestras e lecionava. [...] Ofereciam-nos uma alternativa de liderança fiel, e não era uma alternativa obscura e inerte. Eugene Peterson era bastante conhecido nas décadas de 1990 e 2000. Os livros de Willard vendiam bem. Foram indivíduos que ganharam milhões de dólares com livros que os evangélicos liam. Não viviam à margem.
>
> E, no entanto, no fim das contas, não fez grande diferença. Tínhamos essa bela alternativa, homens de verdadeira integridade [...] e muitos de nós não nos interessamos. No final, não era o que queríamos comprar, ou quem desejávamos escolher como nossos representantes. É como dizer que podíamos escolher Pedro

e Paulo ou Simão, o Mago, e dissemos: "Vamos ficar com Simão, muito obrigado".[11]

Para quem esqueceu (como eu!), Simão é mencionado de passagem em Atos. Ele atraía multidões e elogios ao praticar magia. Cuidava da própria publicidade e "afirmava ser alguém importante" (At 8.9). As pessoas o chamavam de "o Grande Poder de Deus" e o seguiam por toda parte. Então, ele ouviu o evangelho pregado por Filipe, passou a seguir a Cristo e foi batizado. Viu os sinais e milagres que Filipe realizava pelo verdadeiro poder de Deus, em lugar do falso poder da magia. Queria esse tipo de poder, mas imaginou equivocadamente que teria como comprá-lo e, com ele, obter lucro para si. Quando ele se ofereceu para comprá-lo de Pedro e João, eles o repreenderam severamente.

É possível que partes extensas da igreja contemporânea prefiram Simões em lugar de Filipes porque não acreditam que o evangelho, vivido de modo simples e diário em comunidade próxima, seja suficiente para atrair as pessoas ao redor, especialmente em uma época em que muitas delas se afastaram da igreja ou não a consideram relevante para sua vida. Talvez nos preocupemos que, se não jogarmos conforme as regras do mundo para alcançar aquilo que é considerado sucesso, sairemos perdendo. Temos a mensagem certa, mas, como Simão, queremos reunir multidões com espetáculo e usamos a magia moderna da tecnologia para entreter e enfeitiçar. Ampliamos nossas plataformas e projetamos em telões as imagens de nossos pregadores favoritos, na esperança de que seu carisma, seu senso de humor amigável e sua boa aparência atraiam multidões. É verdade que alguns talvez venham pelos motivos errados, mas, com o tempo, podemos transformá-los em discípulos, não é mesmo? Telões não são inerentemente maus, nem igrejas grandes, nem plataformas em redes sociais, nem personalidades carismáticas. No entanto, se continuarmos a depender dessas estratégias e técnicas que simplesmente imitam o mundo do entretenimento e do culto à celebridade, não devemos nos surpreender se atrairmos multidões mais interessadas nas celebridades do que no Cristo para o qual elas estão tentando apontar.

Perguntei a Crouch o que as pessoas com certa medida de celebridade podem fazer para limitá-la. Imagino que alguns leitores deste livro sejam verdadeiras celebridades e queiram administrar bem esse renome, sem se tornar monges ou eremitas e sem abandonar inteiramente seu chamado (embora, a meu ver, todo líder cristão deva assumir o compromisso de passar alguns períodos longe dos holofotes). Acreditam que Deus lhes deu uma plataforma e não querem usá-la pelos motivos errados.

Eu mesma tive de lidar com minha pequena medida de celebridade. É fácil imaginar que outros cristãos têm projeção pública bem maior e concluir que, pelo fato de meu perfil ser muito menos evidente em comparação com o deles, não preciso me preocupar. No entanto, dei palestras para vários grupos e trabalho no mercado editorial. Meu rosto apareceu na TV (o que foi extremamente esquisito), e minhas palavras apareceram na mídia nacional impressa (o que foi mais legal). Senti pressão para aumentar o número de seguidores nas redes sociais (especialmente antes de lançar um livro!). Verdade seja dita, não são poucos os leitores desta obra que participam, em algum nível, da economia da celebridade (muitos mais do que estariam dispostos a reconhecer). Se as pessoas seguem você nas redes sociais, você está, no mínimo, nadando nas águas da celebridade.

Fiquei impressionada com a simplicidade daquilo que Crouch me disse: amizade. Ninguém precisa de mais um fã. Todos nós precisamos de mais um amigo. "Fomos criados para ter em nossa vida pessoas próximas de nós que não se impressionem nem se escandalizem com nada do que fazemos", ele me disse em nossa entrevista. Essa é outra descrição de *proximidade,* o antídoto para os efeitos de isolamento da celebridade. A proximidade acontece quando somos plenamente conhecidos e plenamente amados, e foi para isso que todos nós, celebridades ou não, fomos criados.

Qualquer um que tenha ouvido a verdade nua e crua de algum amigo sabe que a proximidade nem sempre é divertida. Não é para os fracos. Exige o compromisso de estar presente um para o outro, se tivermos sorte, até o fim da vida aqui na terra. Não é uma transação, em que uma mão lava a outra como meio de alcançar a fama. Não é um negócio em que você entra com a expectativa de que você e seu amigo escreverão endossos para os livros um do outro ou de que sua amiga postará no Instagram fotos lindinhas de vocês duas juntas quando seu cabelo estava especialmente maravilhoso. O amigo ideal conhecia (e amava) você muito antes de a fama chegar. Celebridades sentem dificuldade de ter amigos verdadeiros, pois uma vez que alguém conquistou um camarim ou um jato particular, as "pessoas normais" parecem menos interessantes. Elas não impulsionam a celebridade para escalões mais altos.

É mais fácil ter um fã do que ter um amigo. O fã apenas reflete de volta para você sua glória simulada. O amigo, em contrapartida, reflete sua verdadeira glória. Essa é outra forma de dizer que, se for um bom amigo, ele lembrará você de sua identidade como pessoa amada em Cristo, independentemente de louvor ou desempenho. Sua verdadeira glória não é aquilo que você faz, quantos livros você vende, quantas pessoas ouvem seu podcast ou quem diz o quê a seu respeito na internet. Sua verdadeira glória se encontra em seu valor inerente e inestimável como portador da imagem do Senhor do universo. Sua verdadeira glória é vista apenas parcialmente, mas um dia, na redenção de todas as coisas, será plenamente revelada (Rm 8.18). Amigos que nos lembram de nossa verdadeira glória são extremamente raros e extremamente preciosos.

Talvez esse tipo de amizade seja outra forma de falar da fidelidade cotidiana. Talvez amar uns aos outros dessa maneira seja a soma de tudo o que significa tornar-nos "pequenos Cristos". Talvez seja isso que signifique estarmos interligados nesse corpo vivo, curando as feridas uns dos outros, levando os fardos uns dos outros, celebrando as alegrias e os sucessos uns dos outros, servindo uns aos outros como Cristo nos serviu. Talvez essa seja a maior estratégia evangelística à nossa disposição: amar como Cristo nos amou, procurar servir em vez de ser servidos, de maneiras singelas, cotidianas, inobservadas.

A meu ver, há uma figura que capta à perfeição essa fidelidade escondida. Dorothea Brooke, a heroína de *Middlemarch*, romance escrito em 1872 por George Eliot, começa sua vida adulta com sublimes ideais e deseja fazer algo espetacular, nobre e brilhante. Ela almeja ser uma Teresa de Ávila de sua geração, uma santa que abre mão dos confortos básicos de casa e família a fim de viver "para Deus com o mais absoluto fervor", tomando emprestada uma expressão do vocabulário evangélico. Ela procura alcançar esse alvo (com efeitos desastrosos) ao se casar com um clérigo bem mais velho que ela, cuja obra-prima ela pretende ajudá-lo a concluir. O casamento é desprovido de alegria e de amor e, depois que o marido de

Dorothea morre, seus ideais dão lugar a maneiras mais discretas e humildes de cuidar das pessoas ao seu redor: aprender a ver com compaixão a severidade de seu marido, emprestar dinheiro para que um amigo pague uma dívida considerável que prejudica sua reputação, e dar apoio a uma conhecida esnobe e antipática que está passando por dificuldades em seu casamento. Depois que os grandes planos da juventude de Dorothea desvanecem, ela descobre novo significado em práticas de bondade comum, em amar e procurar entender as pessoas que a rodeiam. Ela não se tornaria conhecida como a Teresa de Ávila de sua geração. Contudo, seu mundo seria incalculavelmente mais terno em virtude de pequenos atos cotidianos de bondade.

Eliot expressa esse conceito da seguinte forma, em um dos finais mais belos que se pode imaginar para um romance:

> A natureza plena [de Dorothea] [...] se escoava em canais que não tinham nome grandioso na terra. Contudo, o efeito de sua existência sobre as pessoas ao redor era incalculavelmente difusivo: porquanto o bem crescente do mundo depende, em parte, de atos que não entram para a história; e as coisas não vão tão mal com você e comigo quanto poderiam ter ido parcialmente em virtude daqueles que viveram fielmente uma vida obscura e repousam em túmulos não visitados.[12]

Talvez recuperar-nos dos efeitos tóxicos da celebridade signifique aceitar que nossa vida será, em sua maior parte, uma série de "atos que não entram para a história", cujos efeitos finais permanecem desconhecidos para o mundo. Talvez signifique lançar fora os grandes ideais de levar uma vida magnífica para Deus e aceitar que nossos momentos mais extraordinários de fidelidade são, possivelmente, alcançados em total obscuridade. Talvez signifique voltar às raízes, a algo pequeno como uma semente de mostarda. Voltar a uma fé escondida, inobservada, quase invisível para o olho humano. O reino de Deus não está se concretizando por meio de luzes fulgurantes, alto-falantes, edifícios impressionantes, séries de palestras multimídia, especialistas em relações públicas, parcerias estratégicas e conteúdos que viralizam. Não está se concretizando por meio de relatos pessoais que nos entretêm, de palestras caprichadas e livros em listas de mais vendidos. Não está se concretizando por meio de alguma estratégia. Não está sequer se concretizando por meio de você e de mim. Não construímos nem fazemos vir o reino de Deus. Apenas damos testemunho de sua realidade em nossa vida. Quem dera deixássemos de atravancar o caminho.

Agradecimentos

Este livro não existiria sem minha agente, Joy Eggerichs Reed, que se empolgou quando mencionei a ideia três anos atrás; meus colegas amáveis e competentes na editora Brazos: Jim, Eric, Melisa, Jeremy, Erin, Shelly, Brian, Bob e Janelle; os amigos que me incentivaram ao longo do caminho, especialmente Annie, Sarah, Maria, Kate e Katie; os entrevistados que, com gentileza e vulnerabilidade, compartilharam suas histórias e suas considerações para este livro; e minha família. Mamãe, Papai, Nonnie, Ty, Sara e Luther: obrigada por me conhecerem profundamente e, ainda assim, me amarem.

Notas

1. Poder social sem proximidade

[1]Amy Sherman, *Kingdom Calling: Vocational Stewardship for the Common Good* (Downers Grove, IL: InterVarsity, 2011), p. 46.

[2]"Remembering Rosa Parks", *PBS NewsHour*, 25 de outubro de 2005, <https://www.pbs.org/newshour/show/remembering-rosa-parks>.

[3]Megan Garber, "Why Are They 'Stars'?", *Atlantic*, 24 de fevereiro de 2017, <https://www.theatlantic.com/entertainment/archive/2017/02/why-are-celebrities-known-as-stars/517674>.

[4]Daniel J. Boorstin, *The Image: A Guide to Pseudo-Events in America* (1962; reimpr., Nova York: Knopf, 2012), p. 53.

[5]Barnaby Lane, "Michael Jordan Has Made $1.3 Billion from His 36-Year Partnership with Nike", *Insider*, 5 de maio de 2020, <https://www.insider.com/michael-jordan-nike-billions-wanted-adidas-deal-2020-5>.

[6]Boorstin, *Image*, p. 57-58.

[7]Chavie Lieber, "How and Why Do Influencers Make So Much Money?", *Vox*, 28 de novembro de 2018, <https://www.vox.com/the-goods/2018/11/28/18116875/influencer-marketing-social-media-engagement-instagram-youtube>.

[8]Yalda T. Uhls, citado em Stuart Wolpert, "Popular TV Shows Teach Children Fame Is Most Important Value, UCLA Psychologists Report", UCLA Newsroom, 11 de julho de 2011, <https://newsroom.ucla.edu/releases/popular-tv-shows-teach-children-210119>.

[9]Wolpert, "Popular TV Shows".

[10]Dara Greenwood, Christopher R. Long e Sonya Dal Cin, "Fame and the Social Self: The Need to Belong, Narcissism, and Relatedness

Predict the Appeal of Fame", *Personality and Individual Differences* 55, nº. 5 (setembro de 2013), p. 490-495.

[11]Deena Weinstein e Michael Weinstein, "Celebrity Worship as Weak Religion", *Word and World* 23, nº. 23 (verão de 2003), p. 297, 301.

[12]Andy Crouch, "It's Time to Reckon with Celebrity Power", The Gospel Coalition, 24 de março de 2018, <https://www.thegospelcoalition.org/article/time-reckon-celebrity-power>.

[13]Daniel Silliman e Kate Shellnutt, "Ravi Zacharias Hid Hundreds of Pictures of Women, Abuse during Massages, and a Rape Allegation", *Christianity Today*, 11 de fevereiro de 2021, <https://www.christianitytoday.com/news/2021/february/ravi-zacharias-rzim-investigation-sexual-abuse-sexting-rape.html>.

2. As primeiras celebridades evangélicas

[1]George Marsden, *Understanding Fundamentalism and Evangelicalism* (Grand Rapids: Eerdmans, 1991), p. 6.

[2]O quadrilátero de Bebbington identifica quatro convicções e atitudes definidoras entre os evangélicos: *biblicismo* (todo o conhecimento espiritual pode ser encontrado na Bíblia, a Palavra de Deus investida de autoridade); *crucicentrismo* (a morte expiatória de Cristo na cruz é central para a salvação); *conversionismo* (as pessoas precisam ser convertidas); e *ativismo* (o evangelho é colocado em prática em todas as dimensões da vida e com esforço). David Bebbington, *Evangelicalism in Modern Britain: A History from the 1730s to the 1980s* (Londres: Routledge, 1989).

[3]Timothy Gloege, *Guaranteed Pure: The Moody Bible Institute, Business, and the Making of Modern Evangelicalism* (Chapel Hill: University of North Carolina Press, 2015), p. 19.

[4]Gloege, *Guaranteed Pure*, p. 40.

[5]William Thomas Ellis, *Billy Sunday: The Man and His Message* (Philadelphia: John C. Winston, 1917), p. 155.

[6]"Billy Sunday: Salty Evangelist", *Christianity Today*, acesso em 6 de janeiro de 2022, <https://www.christianitytoday.com/history/people/evangelistsandapologists/billy-sunday.html>.

[7]Bruce J. Evensen, "'It Is a Marvel to Many People': Dwight L. Moody, Mass Media, and the New England Revival of 1877", *New England Quarterly* 72, nº. 2 (junho de 1999), p. 254.
[8]Evensen, "'It Is a Marvel to Many People'", p. 259.
[9]Gloege, *Guaranteed Pure*, p. 34.
[10]Cecilia Rasmussen, "Billy Graham's Star Was Born at His 1949 Revival in Los Angeles", *Los Angeles Times*, 2 de setembro de 2007, <https: / / www.latimes.com / archives / la-xpm-2007-sep-02-me-then-2-story.html>.
[11]Grant Wacker, *America's Pastor: Billy Graham and the Shaping of a Nation* (Cambridge, MA: Belknap, 2014), p. 81, citado em Kristin du Mez, *Jesus and John Wayne: How White Evangelicals Corrupted a Faith and Fractured a Nation* (Nova York: Liveright, 2020), p. 23 [no Brasil, *Jesus e John Wayne: Como o evangelho foi cooptado por movimentos culturais e politicos*. Rio de Janeiro: Thomas Nelson Brasil, 2022].
[12]Ed Stetzer, entrevista por telefone com a autora, 22 de março de 2021.
[13]Mark Ward Sr., "Billy Graham and the Power of Media Celebrity", National Communication Association, 15 de março de 2018, <https: / / www.natcom.org / communication-currents / billy-graham-and-power-media-celebrity>.
[14]Billy Graham, citado em Neil Postman, *Amusing Ourselves to Death: Public Discourse in the Age of Show Business* (Nova York: Penguin, 1985), p. 118.
[15]Postman, *Amusing Ourselves to Death*, p. 118.
[16]Postman, *Amusing Ourselves to Death*, p. 118.
[17]Grant Wacker, "Billy Graham's America", *Church History* 78, nº. 3 (setembro de 2009), p. 491.
[18]Andy Crouch, "It's Time to Reckon with Celebrity Power", The Gospel Coalition, 24 de março de 2018, <https: / / www.thegospelcoalition.org / article / time-reckon-celebrity-power>.
[19]Bob Smietana, "The Other Billy Graham Rules", *Christianity Today*, 31 de março de 2017, <https: / / www.christianitytoday.com / ct / 2017 / march-web-only / other-billy-graham-rules.html>.

[20]Crouch, "It's Time to Reckon with Celebrity Power".

[21]Yuval Levin, "The Case for Wooden Pews", *Deseret News*, 18 de janeiro de 2021, <https://www.deseret.com/indepth/2021/1/18/21564215/why-hard-religion-is-important-american-faith-yuval-levin-gallup-declining-trust-in-institutions>.

[22]Yuval Levin, "How Did Americans Lose Faith in Everything?", *New York Times*, 18 de janeiro de 2020, <https://www.nytimes.com/2020/01/18/opinion/sunday/institutions-trust.html>.

[23]Levin, "How Did Americans Lose Faith in Everything?".

[24]Levin, "How Did Americans Lose Faith in Everything?".

3. Megaigrejas, megapastores

[1]Bill Hybels, *Courageous Leadership: Field-Tested Strategy for the 360 Degree Leader* (Grand Rapids: Zondervan, 2002), p. 27. [No Brasil, *Liderança corajosa: Para quem guia e é guiado*. São Paulo: Vida, 2002.]

[2]Hybels, *Courageous Leadership*, p. 17-18.

[3]Robert Schuller, citado em Anne C. Loveland e Otis B. Wheeler, *From Meetinghouse to Megachurch: A Material and Cultural History* (Columbia: University of Missouri Press, 2003), p. 119.

[4]Warren Bird e Scott Thumma, "Megachurch 2020: The Changing Reality in America's Largest Churches", Hartford Institute for Religion Research, p. 2, <https://faithcommunitiestoday.org/wp-content/uploads/2020/10/Megachurch-Survey-Report_HIRR_FACT-2020.pdf>.

[5]Kate Bowler, *The Preacher's Wife: The Precarious Power of Evangelical Women Celebrities* (Princeton: Princeton University Press, 2019), p. 17.

[6]Scott Thumma, "Exploring the Megachurch Phenomena: Their Characteristics and Cultural Context", Hartford Institute for Religion Research, <http://hirr.hartsem.edu/bookshelf/thumma_article2.html>.

[7]Thumma, "Exploring the Megachurch Phenomena".

[8]Charity Rakestraw, "Seeking Souls, Selling Salvation: A History of the Modern Megachurch", in *Handbook of Megachurches*, org. Stephen Hunt (Boston: Brill, 2020), p. 23-42.

[9]Global Leadership Network website, <https://globalleadership.org>, acesso em 6 de janeiro de 2022.

[10]Aimee, entrevista com a autora, 18 de junho de 2021.

[11]Laura Barringer, entrevista com a autora, 4 de junho de 2021.

[12]Russell Chandler, "'Customer' Poll Shapes a Church", *Los Angeles Times*, 11 de dezembro de 1989, <https://www.latimes.com/archives/la-xpm-1989-12-11-mn-126-story.html>.

[13]Haddon Robinson e Craig Brian Larson, *The Art and Craft of Biblical Preaching: A Comprehensive Resource for Today's Communicators* (Grand Rapids: Zondervan, 2005).

[14]Hybels, *Courageous Leadership*, p. 47.

[15]Nancy Beach, entrevista com a autora, 7 de junho de 2021.

[16]Willow Creek Independent Advisory Group, "IAG Report", 26 de fevereiro de 2019, <https://globalleadership.org/wp-content/uploads/2019/02/IAGReport_022819.pdf>.

[17]Chandler, "'Customer' Poll Shapes a Church"; Bill Hybels e Lynne Hybels, *Fit to Be Tied: Making Marriage Last a Lifetime* (Grand Rapids: Zondervan, 1997), p. 163-164.

[18]"03-23-18 Willow Response", 44:38–46:56, citado em Scot McKnight e Laura Barringer, *Uma igreja chamada tov: A formação de uma cultura de bondade que resiste a abusos de poder e promove cura* (São Paulo: Mundo Cristão, 2022), p. 90.

[19]McKnight e Barringer, *Uma igreja chamada tov*, p. 91-92.

[20]Tony Merida, "Why Your Church Should Embrace Plural Leadership", The Gospel Coalition, 7 de maio de 2019, <https://www.thegospelcoalition.org/article/church-plant-embrace-plural-leadership>.

[21]James C. Galvin, "Willow Creek Governance Review, 2014–2018", 14 de abril de 2019, p. 3, <http://web.archive.org/web/20200721185559/https://gallery.mailchimp.com/dfd0f4e0c107728235d2ff080/files/6d3bafc4-0b43-450c-8e1e-4eb1c80771e2/Report_on_Governance_Review_2014_2018_FINAL.pdf>.

[22]Galvin, "Willow Creek Governance Review", p. 5.

[23]Jerome Socolovsky, "Megachurch Pastor Bill Hybels Resigns, Calls Sexual Accusations 'Flat-Out Lies'", Religion News Service, 11 de abril de 2018, <https: / / religionnews.com / 2018 / 04 / 11 / megachurch-pastor-bill-hybels-resigns-calls-sexual-accusations-flat-out-lies>.

4. Abuso de poder

[1]Jeannie Ortega Law, "Tim Tebow Holds Back Tears in Paying Tribute to His 'Hero of the Faith' Ravi Zacharias", *Christian Post*, 10 de maio de 2020, <https: / / www.christianpost.com / news / tim-tebow-holds-back-tears-in-paying-tribute-to-his-hero-of-the-faith-ravi-zacharias.html>.

[2]Mike Pence (@Mike_Pence), "Deeply saddened to learn of the passing of Ravi Zacharias", Twitter, 19 de maio de 2020, 14h39, <https: / / twitter.com / mike_pence / status / 1262815093580070914>.

[3]David French, "'You Are One Step Away from Complete and Total Insanity'", *French Press*, 14 fevereiro de 2021, <https: / / frenchpress.thedispatch.com / p / you-are-one-step-away-from-complete>.

[4]Daniel Silliman, "Ravi Zacharias's Ministry Investigates Claims of Sexual Misconduct at Spas", *Christianity Today*, 29 de setembro de 2020, <https: / / www.christianitytoday.com / news / 2020 / september / ravi-zacharias-sexual-harassment-rzim-spa-massage-investiga.html>.

[5]Daniel Silliman e Kate Shellnutt, "Ravi Zacharias Hid Hundreds of Pictures of Women, Abuse during Massages, and a Rape Allegation", *Christianity Today*, 11 de fevereiro de 2021, <https: / / www.christianitytoday.com / news / 2021 / february / ravi-zacharias-rzim-investigation-sexual-abuse-sexting-rape.html>.

[6]Silliman, "Ravi Zacharias's Ministry Investigates Claims".

[7]Katelyn Beaty, "As Willow Creek Reels, Churches Must Reckon with How Power Corrupts", Religion News Service, 10 de agosto de 2018, <https: / / religionnews.com / 2018 / 08 / 10 / beaty-oped>.

[8]Andy Crouch, "It's Time to Talk about Power", *Christianity Today*, 1º de outubro de 2018, <https: / / www.christianitytoday.com / ct / 2013 / october / andy-crouch-its-time-to-talk-about-power.html>.

[9]Theology of Work Project, "Servant Leadership (Matt. 20:20–28)", 2014, <https://www.theologyofwork.org/new-testament/matthew/living-in-the-new-kingdom-matthew-18-25/servant-leadership-matthew-2020-28>.

[10]Mike Cosper, *The Rise and Fall of Mars Hill* (podcast), 2021, <https://www.christianitytoday.com/ct/podcasts/rise-and-fall-of-mars-hill>.

[11]Wendy Alsup, entrevista com a autora, 24 de maio de 2021.

[12]Ruth Moon, "Mark Driscoll Addresses Crude Comments Made Trolling as 'William Wallace II'", *Christianity Today*, 1º de agosto de 2014, <https://www.christianitytoday.com/news/2014/august/mark-driscoll-crude-comments-william-wallace-mars-hill.html>.

[13]Sarah Eekhoff Zylstra, "How Acts 29 Survived—and Thrived—after the Collapse of Mars Hill", The Gospel Coalition, 5 de dezembro de 2017, <https://www.thegospelcoalition.org/article/how-acts-29-survived-and-thrived-after-the-collapse-of-mars-hill>.

[14]Scott Thomas, "Happy Birthday and Happy 15th Anniversary, Mark Driscoll", *Acts 29* (blog), 11 de outubro de 2011, <https://web.archive.org/web/20131112010415/http://www.acts29network.org/acts-29-blog/happy-birthday-and-happy-15th-anniversary-mark-driscoll>.

[15]Ruth Graham, "How a Megachurch Melts Down", *Atlantic*, 7 de novembro de 2014, <https://www.theatlantic.com/national/archive/2014/11/houston-mark-driscoll-megachurch-meltdown/382487>.

[16]Jonathan Merritt, "Mark Driscoll Makes Pacifists Fighting Mad", Religion News Service, 24 de outubro de 2013, <https://religionnews.com/2013/10/24/mark-driscolls-pansy-post-outrages-christian-pacifists/>.

[17]Seria possível escrever um livro inteiro sobre celebridades cristãs do sexo masculino e seus estilos de liderança masculinos. Aliás, foi o que Kristin du Mez fez em *Jesus and John Wayne: How White Evangelicals Corrupted a Faith and Fractured a Nation* (Nova York: Liveright, 2020). [No Brasil, *Jesus e John Wayne: Como o evangelho foi cooptado por*

movimentos culturais e politicos. Rio de Janeiro: Thomas Nelson Brasil, 2022.]

[18]Kate Shellnutt, "Harvest Elders Say James MacDonald Is 'Biblically Disqualifed' from Ministry", *Christianity Today*, 5 de novembro de 2019, <https: / / www.christianitytoday.com / news / 2019 / november / harvest-elders-say-james-macdonald-biblically-disqualified.html>.

[19]Bob Smietana, "Is Dave Ramsey's Empire the 'Best Place to Work in America'? Say No and You're Out", Religion News Service, 15 de janeiro de 2021, <https: / / religionnews.com / 2021 / 01 / 15 / dave-ramsey-is-tired-of-being-called-a-jerk-for-his-stands-on-sex-and-covid>.

[20]Steven Hale, "Deposition: Yes, Dave Ramsey Pulled Out a Gun in a Staff Meeting", *Nashville Scene*, 6 de novembro de 2019, <https: / / www.nashvillescene.com / news / pithinthewind / deposition-yes-dave-ramsey-pulled-out-a-gun-in-a-sta%ef%ac%80-meeting / article_1e2f5737-7e82-53e6-a99f-817d5b189c05.html>.

[21]Cosper, *Rise and Fall of Mars Hill.*

[22]Mark Driscoll, "The Man", Acts 29 Bootcamp, Raleigh, NC, 20 de setembro de 2007, citado em Wendy Alsup, "Review of *Real Marriage* by Mark and Grace Driscoll", *Practical Theology for Women*, 21 de fevereiro de 2012, <https: / / theologyforwomen.org / 2012 / 02 / our-review-of-real-marriage-by-mark-and-grace-driscoll.html>.

[23]Sarah Pulliam Bailey, "Pastors' Letter on Mark Driscoll: Step Down from All Aspects of Ministry and Leadership", Religion News Service, 28 de agosto de 2014, <https: / / religionnews.com / 2014 / 08 / 28 / mars-hill-pastors-letter-mark-driscoll-step-down-ministry-leadership>.

[24]Roxanne Stone, "Celeb Pastor Carl Lentz, Ousted from Hillsong NYC, Confesses He Was 'Unfaithful' to His Wife", Religion News Service, 4 de novembro de 2020, <https: / / religionnews. com / 2020 / 11 / 04 / carl-lentz-pastor-of-hillsong-east-coast-and-justin-bieber-terminated-for-moral-failure>.

[25]"Justin Bieber: In the Name of My New Father . . .", *TMZ*, 27 de julho de 2017, <https://www.tmz.com/2017/07/27/justin-bieber-pastor-carl-lentz-father-figure>.

[26]Rachel DeSantis, "Hillsong Founder Says Carl Lentz Had Multiple 'Signifcant' Affairs in Leaked Audio: Report", *People*, 4 de dezembro de 2020, <https://people.com/human-interest/hillsong-founder-leaked-audio-carl-lentz-affairs-report>.

[27]Ruth Graham, "The Rise and Fall of Carl Lentz, the Celebrity Pastor of Hillsong Church", *New York Times*, 5 de dezembro de 2020, <https://www.nytimes.com/2020/12/05/us/carl-lentz-hillsong-pastor.html>.

[28]Fergus Hunter; Laura Chung e Alexandra Smith, "Hillsong Pastor Brian Houston Charged for Allegedly Concealing Child Sexual Abuse by His Father", *Sydney Morning Herald*, 5 de agosto de 2021, <https://www.smh.com.au/national/nsw/hillsong-pastor-brian-houston-charged-for-allegedly-concealing-child-sexual-abuse-by-his-father-20210805-p58g7z.html>; Maura Hohman, "Hillsong Founder Brian Houston Opens Up about Church's Controversies, Ex-pastor Carl Lentz", NBC Today, 18 de maio de 2021, <https://www.today.com/news/hillsong-founder-brian-houston-breaks-silence-church-s-controversies-t218822>.

[29]Hannah Frishberg, "Tithe Money Funded Hillsong Pastors' Luxury Lifestyles: Former Members", *New York Post*, 26 de janeiro de 2021, <https://nypost.com/2021/01/26/former-hillsong-members-detail-pastors-lavish-lifestyles>.

[30]Joe Pinsker, "Why So Many Americans Don't Talk about Money", *Atlantic*, 2 de março de 2020, <https://www.theatlantic.com/family/archive/2020/03/americans-dont-talk-about-money-taboo/607273>.

[31]Whitney Bauck, "Meet the Instagram Account Calling Out Celebrity Pastors for Their Expensive Sneakers", 4 de abril de 2019, *Fashionista*, <https://fashionista.com/2019/04/celebrity-pastors-preachers-sneakers-instagram>.

[32]Bauck, "Meet the Instagram Account".

[33]Sarah Pulliam Bailey, "Major Evangelical Nonprofits Are Trying a New Strategy with the IRS That Allows Them to Hide Their Salaries", *Washington Post*, 17 de janeiro de 2020, <https://www.washingtonpost.com/religion/2020/01/17/major-evangelical-nonprofts-are-trying-new-strategy-with-irs-that-allows-them-hide-their-salaries>.

[34]Warren Cole Smith, "When a Church Is Not a Church", MinistryWatch, 19 de dezembro de 2019, <https://ministrywatch.com/when-a-church-is-not-a-church>.

[35]Smith, "When a Church Is Not a Church".

[36]"Seven Standards of Responsible Stewardship", Evangelical Council for Financial Accountability, <https://www.ecfa.org/Content/Standards>.

[37]Taylor Berglund, "John Crist Cancels 2019 Tour Dates after Reports of Sexting, Harassment, Manipulation", *Charisma*, 6 de novembro de 2019, <https://www.charismanews.com/us/78703-john-crist-cancels-2019-tour-dates-after-reports-of-sexting-harassment-manipulation>.

[38]Berglund, "John Crist Cancels 2019 Tour Dates".

[39]Lisa Respers France, "Christian Comedian John Crist Apologizes after Sexual Misconduct Allegations", CNN, 17 de novembro de 2019, <https://www.cnn.com/2019/11/07/entertainment/john-crist-sexual-misconduct-trnd/index.html>.

[40]Kate Shellnutt, "Comedian John Crist: 'The Biggest Hypocrite Was Me'", *Christianity Today*, 15 de julho de 2020, <https://www.christianitytoday.com/news/2020/july/john-crist-comedian-facebook-back-online-christian-video.html>.

[41]Berglund, "John Crist Cancels 2019 Tour Dates".

[42]Berglund, "John Crist Cancels 2019 Tour Dates".

[43]Berglund, "John Crist Cancels 2019 Tour Dates".

[44]"Transcript: Donald Trump's Taped Comments about Women", *New York Times*, 8 de outubro de 2016, <https://www.nytimes.com/2016/10/08/us/donald-trump-tape-transcript.html>.

[45]John Crist, "A message from me ☺", Facebook, 15 de julho de 2020, <https://www.facebook.com/johnbcrist/videos/941973542950323>.
[46]Lynsey M. Barron e William P. Eiselstein, "Report of Independent Investigation into Sexual Misconduct of Ravi Zacharias", 9 de fevereiro de 2021, <https://www.courthousenews.com/wp-content/uploads/2021/02/zacharias-report.pdf>.
[47]Barron e Eiselstein, "Report of Independent Investigation".
[48]"Open Letter from the International Board of Directors of RZIM on the Investigation of Ravi Zacharias", <https://context-cdn.washingtonpost.com/notes/prod/default/documents/2719acf9-859e-43e4-8ccc-cbae5222cd97/note/5ff473a3-44c7-4f68-98d5-ed715ec38129.>.
[49]"Open Letter from the International Board of Directors".
[50]French, "'You Are One Step Away'".
[51]Bob Smietana, "She Wanted to Help Ravi Zacharias Save the World but Ended Up Defending an Abuser", Religion News Service, 13 de agosto de 2021, <https://religionnews.com/2021/08/13/ruth-malhorta-wanted-to-help-save-the-world-instead-she-ended-up-defending-an-abuser-raavi-zacharias-alori-anne-thompson/>.
[52]Smietana, "She Wanted to Help Ravi Zacharias".
[53]Ruth Malhotra, "Letter to RZIM Board Chairman", 6 de fevereiro de 2021, <https://docs.google.com/document/d/1UsmGx0KFQaSDznIpyMgXjeVGV3OD-zEKptrrZrvoWPo/edit>, citado em French, "'You Are One Step Away.'"
[54]Malhotra, "Letter to RZIM Board Chairman".
[55]Malhotra, "Letter to RZIM Board Chairman".
[56]ThirtyOne:Eight, "Spiritual Abuse: A Position Paper", fevereiro de 2018, p. 6, <https://thirtyoneeight.org/media/4upcux21/spiritual-abuse-position-statement.pdf>.
[57]Malhotra, "Letter to RZIM Board Chairman".
[58]Daniel Gilman, citado em French, "'You Are One Step Away'".

5. Busca por plataformas

[1]Jim Milliot, "Industry Sales Dipped in 2018", *Publishers Weekly*, 28 de junho de 2019, <https://www.publishersweekly.com/pw/

by-topic / industry-news / bookselling / article / 80592-industry-sales-dipped-in-2018.html>.

[2]Ben Witherington III, "The Most Dangerous Thing Luther Did", *Christian History*, 17 de outubro de 2017, <https: / / www.christianitytoday.com / history / 2017 / october / most-dangerous-thing-luther-did.html>.

[3]Dave Roos, "7 Ways the Printing Press Changed the World", *History*, 23 de agosto de 2019, atualizado em 3 de setembro de 2019, <https: / / www.history.com / news / printing-press-renaissance>.

[4]Daniel Vaca, *Evangelicals Incorporated: Books and the Business of Religion in America* (Cambridge, MA: Harvard University Press, 2019), p. 13.

[5]Vaca, *Evangelicals Incorporated*, p. 2.

[6]Daniel Silliman, "The Business of Evangelical Book Publishing Is Business", *Christianity Today*, 12 de dezembro de 2019, <https: / / www.christianitytoday.com / ct / 2019 / december-web-only / evangelicals-incorporated-books-business-daniel-vaca.html>.

[7]Daniel Silliman, *Reading Evangelicals: How Christian Fiction Shaped a Culture and a Faith* (Grand Rapids: Eerdmans, 2021).

[8]Ted Olsen, "HarperCollins Buys Thomas Nelson, Will Control 50% of Christian Publishing Market", *Christianity Today*, 31 de outubro de 2011, <https: / / www.christianitytoday.com / news / 2011 / october / harpercollins-buys-thomas-nelson-will-control-50-of.html>.

[9]Vaca, *Evangelicals Incorporated*, p. 96.

[10]Daniel J. Boorstin, *The Image: A Guide to Pseudo-Events in America* (1962; reimpr., Nova York: Knopf, 2012), p. 53.

[11]Joshua Harris, postagem no Instagram, 26 de julho de 2019, <https: / / www.instagram.com / p / B0ZBrNLH2sl / >.

[12]Carl R. Trueman, "Josh Harris's Message Remains the Same", *First Things*, 12 de agosto de 2021, <https: / / www.frstthings.com / web-exclusives / 2021 / 08 / josh-harriss-message-remains-the-same>.

[13]Christopher Hitchens, "About Books", entrevista com Brian Lamb, C-SPAN, transmitida em 26 de outubro de 1997, <https: / / www.c-span.org / video / ?94062-1 / political-books>.

[14]Phil Cooke, "The Truth about Using Ghostwriters for Christian Books", PhilCooke.com, 28 de julho de 2017, <https://www.philcooke.com/ghostwriting>.

[15]Andy Crouch, "The Real Problem with Mark Driscoll's 'Citation Errors'", *Christianity Today*, 10 de dezembro de 2013, <https://www.christianitytoday.com/ct/2013/december-web-only/real-problem-with-mark-driscolls-citation-errors.html>.

[16]Crouch, "Real Problem with Mark Driscoll's 'Citation Errors'".

[17]Jonathan Merritt, "Mars Hill Church Admits to 'Citation Errors' in Driscoll Plagiarism Controversy", Religion News Service, 9 de dezembro de 2013, <https://religionnews.com/2013/12/09/mars-hill-church-plagiarism-controversy-citation-errors>.

[18]Colleen Flaherty, "Former Liberty U Professor Denies Plagiarism Allegations", *Inside Higher Ed*, 14 de agosto de 2018, <https://www.insidehighered.com/quicktakes/2018/08/14/former-liberty-u-professor-denies-plagiarism-allegations>.

[19]Emily Belz, "Back to the Sources", *World*, 11 de outubro de 2018, <https://wng.org/articles/back-to-the-sources-1617300355>.

[20]Gregory A. Smith, "Giving Credit Where Credit Is Due: Avoiding Plagiarism in Christian Writing and Speaking", Liberty University Faculty Publications and Presentations, 2006, <https://digitalcommons.liberty.edu/cgi/viewcontent.cgi?referer=&httpsredir=1&article=1045&context=lib_fac_pubs>.

[21]Kate Bowler, *The Preacher's Wife: The Precarious Power of Evangelical Women Celebrities* (Princeton: Princeton University Press, 2019), p. xiii.

[22]Katelyn Beaty, "Behind the Rise of Evangelical Women 'Influencers'", *Religion and Politics*, 10 de dezembro de 2019, <https://religionandpolitics.org/2019/12/10/behind-the-rise-of-evangelical-women-influencers/>.

[23]Nick Bilton, citado em Tom Huddleston Jr., "How Instagram Influencers Can Fake Their Way to Online Fame", CNBC, 4 de fevereiro de 2021, <https://www.cnbc.com/2021/02/02/hbo-fake-famous-how-instagram-influencers-.html>.

[24]Emma Grey Ellis, "Fighting Instagram's $1.3 Billion Problem—Fake Followers", *Wired*, 10 de setembro de 2019, <https: / / www.wired.com / story / instagram-fake-followers>.

[25]Trueman, "Josh Harris's Message Remains the Same".

[26]Warren Throckmorton, "Thomas Nelson Contract: Mark Driscoll's Real Marriage Advance Was $400,000", *Warren Throckmorton* (blog), 5 de janeiro de 2016, <https: / / www.wthrockmorton.com / 2016 / 01 / 05 / thomas-nelson-contract-mark-driscolls-real-marriage-advance-was-400000>.

[27]Warren Throckmorton, "How the Religious Right Scams Its Way onto the *New York Times* Bestseller List", *Daily Beast*, 16 de novembro de 2014, <https: / / www.thedailybeast.com / how-the-religious-right-scams-its-way-onto-the-new-york-times-bestseller-list>.

[28]Warren Cole Smith, "Unreal Sales for Driscoll's *Real Marriage*", *World*, 5 de março de 2014, <https: / / wng.org / sift / unreal-sales-for-driscolls-real-marriage-1617422429>.

[29]Dwight Baker, citado em Ken Walker, "Is Buying Your Way onto the Bestseller List Wrong?", *Christianity Today*, 20 de janeiro de 2015, <https: / / www.christianitytoday.com / ct / 2015 / januaryfebruary / buying-bestsellers-resultsource.html>.

[30]Sarah Nicolas, "A History of Buying Books onto the Bestseller List", *Book Riot*, 6 de janeiro de 2020, <https: / / bookriot.com / buying-books-onto-the-bestseller-list>.

[31]Vanessa Barthelmes, "Jesus Cleanses the Temple: What Does It Mean for You?", JadoreVaness.com, 6 de janeiro de 2020, <https: / / www.jadorevanessa.com / jesus-cleanses-the-temple-what-does-it-mean-for-you>.

6. Criação de uma *persona*

[1]Bruce Weber, "Philip Seymour Hoffman, Actor of Depth, Dies at 46", *New York Times*, 2 de fevereiro de 2014, <https: / / www.nytimes.com / 2014 / 02 / 03 / movies / philip-seymour-hoffman-actor-dies-at-46.html>.

[2]David Browne, "Philip Seymour Hoffman's Last Days", *Rolling Stone*, 25 de julho de 2014, <https://www.rollingstone.com/tv-movies/tv-movie-news/philip-seymour-hoffmans-last-days-77972/>.

[3]Vinson Cunningham, "The Impenetrable Genius of Prince", *New Yorker*, 25 de abril de 2016, <https://www.newyorker.com/magazine/2016/05/02/the-impenetrable-genius-of-prince>.

[4]Amy Forliti, "Investigation Says Prince Was Isolated, Addicted and in Pain", Associated Press, 20 de abril de 2018, <https://apnews.com/article/music-north-america-us-news-ap-top-news-prince-94806d16569541d98032ce2b2f82aa6a>.

[5]Jennifer Michael Hecht, "How the Media Covers Celebrity Suicides Can Have Life-or-Death Consequences", *Vox*, 8 de junho de 2018, <https://www.vox.com/first-person/2018/5/5/17319632/anthony-bourdain-kate-spade-cause-of-death-suicide-celebrities-reporting>.

[6]Cydney Henderson, "Daniel Radcliffe Says He Used Alcohol to Manage the Unmagical Bits of 'Harry Potter' Fame", *USA Today*, 20 de fevereiro de 2019, <https://www.usatoday.com/story/life/people/2019/02/20/daniel-radcliffe-turned-alcohol-cope-harry-potter-fame/2931072002/>.

[7]Maria Cavassuto, "Lady Gaga: Fame Is the Most Isolating Thing in the World", *Variety*, 3 de junho de 2016, <https://variety.com/2016/tv/news/lady-gaga-fame-isolation-jamie-lee-curtis-1201787973>.

[8]Molly Lambert, "I Feel like a Zoo Animal: The Ballad of Justin Bieber", *MTV News*, 11 de maio de 2016, <https://www.mtv.com/news/jooz1a/justin-bieber-feel-like-zoo-animal>.

[9]Donna Rockwell e David C. Giles, "Being a Celebrity: A Phenomenology of Fame", *Journal of Phenomenological Psychology* 40 (2009), p. 178-210.

[10]Rockwell e Giles, "Being a Celebrity".

[11]Hannah Arendt, discurso no "Prêmio Sonning", Copenhagen, Dinamarca, 18 de abril de 1975 (Washington, DC: Hannah Arendt Papers at the Library of Congress), p. 12-13, citado em Mike Cosper,

Recapturing the Wonder: Transcendent Faith in a Disenchanted World (Downers Grove, IL: InterVarsity, 2017), p. 82.

[12] Arendt, "Prêmio Sonning", citado em Cosper, *Recapturing the Wonder*, p. 82.

[13] Chuck DeGroat, entrevista por telefone com a autora, 4 de outubro de 2021.

[14] Chuck DeGroat, *When Narcissism Comes to Church: Healing Your Community from Emotional and Spiritual Abuse* (Downers Grove, IL: InterVarsity, 2020).

[15] Paroma Mitra; Dimy Fluyau, "Narcissistic Personality Disorder", National Center for Biotechnology Information, 18 de maio de 2021, <https://www.ncbi.nlm.nih.gov/books/NBK556001>.

[16] Chuck DeGroat, "Finding Narcissism in Church", *Banner*, 28 de dezembro de 2020, <https://www.thebanner.org/features/2020/12/finding-narcissism-in-church>.

[17] Darrell Puls, citado em Matthew Heisler, "Power and Authority in Spiritual Abuse", *MatthewHeisler.com*, 12 de maio de 2020, atualizado em 26 de junho de 2020, <https://www.matthewheisler.com/post/power-and-authority-part-3-of-the-spiritual-abuse-series>.

[18] Robert Enroth, citado em Scot McKnight, "Help! My Pastor Is a Narcissist", *Jesus Creed* (blog), Christianity Today blog forum, 10 de agosto de 2020, <https://www.christianitytoday.com/scot-mcknight/2020/august/help-my-pastor-is-narcissist.html>.

[19] DeGroat, *When Narcissism Comes to Church*, p. 23.

[20] DeGroat, *When Narcissism Comes to Church*, p. 23.

[21] C. S. Lewis, *Mere Christianity* (1952; reimpr., New York: HarperCollins, 2001), p. 86. [No Brasil, *Cristianismo puro e simples*. Rio de Janeiro: Thomas Nelson Brasil, 2017.]

[22] Rich Villodas, "The Celebrity Pastor Problem Is Every Church's Struggle", *Christianity Today*, 8 de dezembro de 2020, <https://www.christianitytoday.com/pastors/2020/december-web-exclusives/celebrity-pastor-entitlement-church-culture-humility.html>.

[23]Lisa Cannon Green, "Despite Stresses, Few Pastors Give Up on Ministry", LifeWay Research, 1º de setembro de 2015, <https://lifewayresearch.com/2015/09/01/despite-stresses-few-pastors-give-up-on-ministry>.

[24]Carey Nieuwhof, "29 Percent of Pastors Want to Quit: How to Keep Going When You've Lost Confidence in Yourself", atualizado em 14 de setembro de 2021, <https://careynieuwhof.com/29-of-pastors-want-to-quit-how-to-keep-going-when-youve-lost-confidence-in-yourself/>.

[25]LifeWay Research, "Pastors Feel Privileged and Positive, Though Discouragement Can Come", LifeWay Research, 5 de outubro de 2011, <https://lifewayresearch.com/2011/10/05/pastors-feel-privileged-and-positive-though-discouragement-can-come>.

[26]Henri Nouwen, *In the Name of Jesus: Reflections on Christian Leadership* (Londres: Darton, Longman and Todd, 1989), p. 9.

[27]Kayleigh Donaldson, "The Personal, Private, and Parasocial of John Mulaney", *Pajiba*, 18 de maio de 2021, <https://www.pajiba.com/celebrities_are_better_than_you/the-personal-private-and-parasocial-of-john-mulaney.php>.

[28]Donald Horton e R. Richard Wohl, "Mass Communication and Para-social Interaction: Observations on Intimacy at a Distance", *Psychiatry* 19, nº. 3 (1956), p. 215.

[29]Horton e Wohl, "Mass Communication and Para-social Interaction", citado em *Mass Communication and American Social Thought: Key Texts, 1919–1968*, John Durham Peters e Peter Simonson, orgs. (Lanham, MD: Rowman & Littlefeld, 2004), p. 375.

[30]Horton e Wohl, "Mass Communication and Para-social Interaction", citado em Peters e Simonson, *Mass Communication and American Social Thought*, p. 375.

[31]Grifn Wynne, "Parasocial Relationships with Celebrities Aren't Necessarily a Bad Thing", *Bustle*, 14 de setembro de 2021, <https://www.bustle.com/wellness/why-parasocial-relationships-not-all-bad>.

[32]Gary Laderman, *Sacred Matters: Celebrity Worship, Sexual Ecstasies, the Living Dead, and Other Signs of Religious Life in the United States* (Nova York: New Press, 2009), p. 87.

7. À procura de embaixadores de marcas

[1]Dorian Lynskey, "Natural Born Show-Off", *Guardian*, 4 de agosto de 2005, <https://www.theguardian.com/music/2005/aug/05/kanyewest>.

[2]Carrie Battan, "Kanye West's True Salvation on 'Jesus Is King'", *New Yorker*, 27 de outubro de 2019, <https://www.newyorker.com/culture/cultural-comment/kanye-wests-true-salvation-on-jesus-is-king>.

[3]Trevin Wax, "Kanye West, Justin Bieber, and What to Make of Celebrity Conversions", The Gospel Coalition, 23 de setembro de 2019, <https://www.thegospelcoalition.org/blogs/trevin-wax/kanye-west-justin-bieber-make-celebrity-conversions>.

[4]Lindsay Elizabeth, "Kanye West: 'It's My Job to Let People Know What Jesus Has Done for Me'", *Christian Broadcasting Network*, 28 de outubro de 2019, <https://www1.cbn.com/cbnnews/entertainment/2019/october/kanye-west-its-my-job-to-let-people-know-what-jesus-has-done-for-me>.

[5]Andrew Trendell, "Watch Kanye West's Sunday Service Cover Nirvana Classics with a Christian Spin", *NME*, 29 de julho de 2019, <https://www.nme.com/news/music/watch-kanye-wests-sunday-service-cover-nirvana-classics-christian-spin-2533233>.

[6]Robert Hilburn e *Los Angeles Times*, "Bob Dylan's Song of Salvation", *Washington Post*, 24 de novembro de 1980, <https://www.washingtonpost.com/archive/lifestyle/1980/11/24/bob-dylans-song-of-salvation/1fba5ce3-e6fa-40dc-8a17-a384bb537643>.

[7]Randall J. Stephens, *The Devil's Music: How Christians Inspired, Condemned, and Embraced Rock 'N' Roll* (Cambridge, MA: Harvard University Press, 2018), p. 196.

[8]Bob Dylan, citado em David W. Stowe, *No Sympathy for the Devil: Christian Pop Music and the Transformation of American Evangelicalism* (Chapel Hill: University of North Carolina Press, 2011), p. 230.

[9]Michael Simmons, citado em Lesli White, "The Incredible Faith of Bob Dylan", Beliefnet, atualizado em 12 de junho de 2020, <https://www.beliefnet.com/entertainment/music/the-incredible-faith-of-bob-dylan.aspx>.

[10]White, "Incredible Faith of Bob Dylan".

[11]Jerry Falwell, citado em Doug Banwart, "Jerry Falwell, the Rise of the Moral Majority, and the 1980 Election", *Western Illinois Historical Review* 5 (primavera 2013), p. 1, <https://www.wiu.edu/cas/history/minors.php>.

[12]Hilburn e *Los Angeles Times*, "Bob Dylan's Song of Salvation".

[13]Aaron E. Sanchez, "Bob Dylan's Overlooked Christian Music", *Sojourners*, 3 de setembro de 2019, <https://sojo.net/articles/bob-dylans-overlooked-christian-music>.

[14]Stan Guthrie, "Bob Dylan: Is He or Isn't He?", The Gospel Coalition, 14 de agosto de 2017, <https://www.thegospelcoalition.org/reviews/bob-dylan-a-spiritual-life>.

[15]Diz-se que Bill Dwyer foi professor de Dylan no curso de estudos bíblicos na Igreja Comunidade Cristã da Videira. Larry Myers e Paul Emond, dois pastores dessa igreja, foram enviados à casa de Dylan para orar com ele. O compositor Al Kasha também afirma que fez com Dylan uma oração de entrega da vida dele a Cristo.

[16]Kara Bettis, "Master's Seminary Grad Takes Kanye's Crowds to Church", *Christianity Today*, 2 de outubro de 2019, <https://www.christianitytoday.com/ct/2019/october-web-only/masters-seminary-grad-takes-kanyes-crowds-to-church.html>.

[17]John Stott, *The Message of the Sermon on the Mount* (Downers Grove, IL: InterVarsity, 2020), p. 35. [No Brasil, *A mensagem do Sermão do Monte*. São Paulo: ABU, 1997.]

[18]Alan Noble, "The Evangelical Persecution Complex", *Atlantic*, 4 agosto de 2014, <https://www.theatlantic.com/national/archive/2014/08/the-evangelical-persecution-complex/375506>.

[19]Noble, "Evangelical Persecution Complex".

[20]Stott, *Message of the Sermon on the Mount*, p. 35.

[21]Noble, "Evangelical Persecution Complex".

[22]Allie Jones, "A Guide to the Evangelical Celebrities and Pastors Dominating Hollywood", *The Cut*, 6 de agosto de 2018, <https://www.thecut.com/2018/08/justin-bieber-hailey-baldwin-hillsong-evangelicals-hollywood.html>.

[23]Brittany Raymer, "Kanye West's Gospel Album Includes an Ode to Chick-fil-A's Lemonade and a Distinctly Christian Message", *Daily Citizen*, 25 de outubro de 2019, <https://dailycitizen.focusonthefamily.com/kanye-wests-gospel-album-includes-an-ode-to-chick-fil-as-lemonade-and-a-distinctly-christian-message/>.

[24]Madeline Berg, "Here's How Much Money Is at Stake in a Kim Kardashian–Kanye West Divorce", *Forbes*, 6 de janeiro de 2021, <https://www.forbes.com/sites/maddieberg/2021/01/06/heres-how-much-money-is-at-stake-in-a-kim-kardashian-kanye-west-divorce>.

[25]Gil Kaufman, "Kanye West Says His $68 Million Tax Refund Was Divinely Inspired—So We Asked a CPA if That's a Thing", *Billboard*, 30 de outubro de 2019, <https://www.billboard.com/articles/columns/hip-hop/8541528/kanye-west-tax-refund-cpa-interview>.

[26]Wax, "Kanye West, Justin Bieber, and What to Make of Celebrity Conversions".

[27]Brett McCracken, "Hipster Faith", *Christianity Today*, 3 de setembro de 2010, <https://www.christianitytoday.com/ct/2010/september/9.24.html>.

[28]Laura Turner, "The Rise of the Star-Studded, Instagram-Friendly Evangelical Church", *Vox*, 6 de fevereiro de 2019, <https://www.vox.com/culture/2019/2/6/18205355/church-chris-pratt-justin-bieber-zoe-hillsong>.

[29]Taffy Brodesser-Akner, "Inside Hillsong, the Church of Choice for Justin Bieber and Kevin Durant", *GQ*, 17 de dezembro de 2015, <https://www.gq.com/story/inside-hillsong-church-of-justin-bieber-kevin-durant>.

[30]Gabrielle Chung, "Justin Bieber Shares Photos from His Joint Baptism with Wife Hailey Baldwin: 'Trust in Jesus'", *People*, 5 de agosto

de 2020, <https://people.com/music/justin-bieber-shares-photos-from-joint-baptism-with-hailey-baldwin>.

[31]Justin Bieber, "Wowzers", Instagram, 6 de janeiro de 2018, <https://www.instagram.com/p/BdoOL5Gjip4>.

[32]Rania Aniftos, "Kanye West Defends Comments That Slavery Was a Choice: 'We Can't Be Mentally Imprisoned for Another 400 Years'", *Billboard*, 1º de maio de 2018, <https://www.billboard.com/articles/news/8430171/kanye-west-defends-tmz-comments-slavery-was-a-choice>.

[33]Emily Kirkpatrick, "More Hillsong Pastors Resign as Justin Bieber Confrms He's Left the Church", *Vanity Fair*, 5 de janeiro de 2021, <https://www.vanityfair.com/style/2021/01/justin-bieber-not-part-of-hillsong-church-carl-lentz-scandal-pastors-resign>.

[34]Zach Baron, "The Redemption of Justin Bieber", *GQ*, 13 de abril de 2021, <https://www.gq.com/story/justin-bieber-cover-profile-may-2021>.

[35]Turner, "Rise of the Star-Studded, Instagram-Friendly Evangelical Church".

8. O Messias obscuro e a fidelidade cotidiana

[1]C. S. Lewis, *Mere Christianity* (1952; reimpr., Nova York: Simon & Schuster, 1996), p. 171. [No Brasil, *Cristianismo puro e simples*. Rio de Janeiro: Thomas Nelson Brasil, 2017.]

[2]Conrad Hackett e David McClendon, "Christians Remain World's Largest Religious Group, but They Are Declining in Europe", Pew Research Center, 5 de abril de 2017, <https://www.pewresearch.org/fact-tank/2017/04/05/christians-remain-worlds-largest-religious-group-but-they-are-declining-in-europe>.

[3]Jaroslav Pelikan, *Jesus through the Centuries: His Place in the History of Culture* (New Haven: Yale University Press, 1985), p. 1.

[4]Dallas Willard, *The Divine Conspiracy: Rediscovering Our Hidden Life in God* (Nova York: HarperCollins, 2009), p. 11-12. [No Brasil, *A conspiração divina: Redescobrindo nossa vida oculta em Deus*. Rio de Janeiro: Thomas Nelson Brasil, 2021.]

[5]Willard, *Divine Conspiracy*, p. 16.

[6]Andy Crouch, "It's Time to Reckon with Celebrity Power", The Gospel Coalition, 24 de março de 2018, <https://www.thegospelcoalition.org/article/time-reckon-celebrity-power>.

[7]Henri Nouwen, *In the Name of Jesus: Reflections on Christian Leadership* (Londres: Darton, Longman and Todd, 1989), p. 76-77.

[8]Eugene Peterson, *The Jesus Way: A Conversation on the Ways That Jesus Is the Way* (Grand Rapids: Eerdmans, 2007), p. 33. [No Brasil, *Os caminhos de Jesus e os atalhos da igreja*. São Paulo: Mundo Cristão, 2009.]

[9]Peterson, *Jesus Way*, p. 35.

[10]Crouch, "It's Time to Reckon with Celebrity Power".

[11]Andy Crouch, entrevista com a autora, 27 de outubro de 2021.

[12]George Eliot, *Middlemarch: A Study in Provincial Life* (Nova York: Penguin Classics, 1994), p. 838. [No Brasil, *Middlemarch: Um estudo da vida provinciana*. Rio de Janeiro: Record, 1998.]

Sobre a autora

Katelyn Beaty é jornalista, editora e observadora das tendências da igreja contemporânea. Já escreveu para veículos como *The New York Times, New Yorker, The Washington Post,* Religion News Service e *The Atlantic* e comentou sobre fé e cultura para CNN, ABC, NPR e Associated Press. Atualmente, vive em Brooklyn, Nova York.

Compartilhe suas impressões de leitura,
mencionando o título da obra, pelo e-mail
opiniao-do-leitor@mundocristao.com.br
ou por nossas redes sociais

Esta obra foi composta com tipografia Palatino
e impressa em papel Pólen Natural 70 g/m² na gráfica Assahi